新潮文庫

# ビタミンF

重松　清著

# ビタミンF　目次

# ビタミンF

# ゲンコツ

## 1

『仮面ライダー』のイントロが流れると、若い連中は一斉に笑った。ジョッキに残っていたビールを飲み干してソファーから立ち上がり、マイク片手にステージに向かう吉岡《よしおか》の背中に、「主任、がんばってぇ！」と女子社員の声が飛ぶ。

吉岡は両脚を踏ん張ってふらつく体を支え、力みかえったしぐさで右の拳《こぶし》を腰の横に添えた。マイクをつかんだ左手は、最初は右の拳のすぐそば、それからゆっくりと弧を描いて体の左側に移っていく。

「ライダー……」

マイクが声を拾わなくても、口の動きだけでわかる。

グリコのマークのように左手が伸びきったその瞬間、右手がすばやく斜め上に伸びて、入れ替わりに左手は左脇腹《わきばら》につく。

「変身っ！」

とっくに歌は始まっているのに、吉岡は「とおーっ！」と一声吠《ほ》えて、バンザイのポーズでジャンプした。高さ、約五センチ。体の動きにワンテンポ遅れてふわりと浮き上がったネクタイが、脂《あぶら》ぎった鼻の頭に当たった。

拍手や甲高《かんだか》い歓声とともに、若い連中は笑いころげる。吉岡も笑いながらおおげさな節回しで歌う。

雅夫《まさお》はステージ横のモニターに映った吉岡の顔に苦笑いを送り、ウーロンハイを一口啜《すす》った。

「加藤主任は歌わないんですか？」

隣に座った橋本が分厚い曲目ファイルを差し出してきた。

「俺はいいよ」

断ると、橋本は少し鼻白んだふうにファイルをひっこめて、それでも気を遣ってはいるのだろう、「吉岡さんも好きですよねえ」と肩をすくめた。

たしかに、好きだ。これで三曲目。『宇宙戦艦ヤマト』に『あしたのジョー』に『仮面ライダー』……『巨人の星』もすでに予約してあるだろう。

一番の歌が終わり、間奏に入る。吉岡は休む間もなくパンチやキックを虚空《こくう》に放つ。「とうっ！　とうっ！」と、気合いの割には腕も足ものろのろとしか動かない。歓声に紛らせて、誰かが「おたくオヤジッ！」と声をかけた。聞こえているのかいないのか、吉岡は「とうっ！　とうっ！」と幻の格闘をつづける。薄くなった髪が汗で額に貼《は》りつき、ワイシャツの裾《すそ》はズボンからはみ出してしまった。

「元気いいですよね、ほんと」

橋本はあきれたように言って、「加藤主任と同期なんですよね？」と訊《き》いた。

「ああ……」

「昔から、あんな感じなんですか」

「酔っぱらうとな。昔はもっとすごかったんだけど」

「吉岡さんもさっき言ってましたよ、若い頃はこんなものじゃなかった、って」

「昔」や「若い頃」という言葉が、耳や口にすんなりと馴染《なじ》むようになった。三十八歳。入社十六年目。この四月から二人そろって営業課の主任に昇進し、部下を八人ずつ率いることになった。吉岡の部下として異動してきたばかりの橋本は、雅夫とは今夜――二班合同の花見が初対面で、「さん」と「主任」のつかい分けもそのあたりに理由があるようだった。

「橋本くんはいくつだっけ」

「僕ですか？　僕は二十八です」

「そうか、若いよなあ」

「そんなことないですよ、もうオヤジですよ、最近すぐ疲れちゃって」

おどけて自分の肩を叩《たた》く橋本に、雅夫は「甘いよ」と言った。小声で、吐き捨てるように。橋本は「え?」と聞き返したが、苦笑いでかわした。

歌がようやく終わる。エンディングの演奏が終わると、吉岡はテレビ放送のナレーションを真似《まね》て「仮面ライダー、本郷猛《たけし》は改造人間である」と早口に言いかけて、つづく言葉を忘れてしまったのか、エコーの効いた声で雅夫を呼んだ。

「なあ、つづき、なんていうんだっけ」

「覚えてないよ、そんなの」――モニターの中の吉岡に言った。

「なんだっけなあ、えーと、仮面ライダー本郷猛は改造人間である、だろ……」

次の歌のイントロが始まった。「主任、交代ですよ、もう」と声がかかり、吉岡はしぶしぶステージを降りる。

入れ替わりに雅夫は席を立ち、部屋を出てトイレに向かった。耳の奥がじんとしびれている。カラオケは嫌いなわけではないが、演奏の音が年々大きくなっていくような気がするのはなぜだろう。

用をたす前に、シャツの上から腹に軽く触れた。息を詰めて、少し強く叩いてみる。

顔をしかめながら、さらに強く。

たるんだ腹の肉は、ずぶずぶと沈み込んでいくようなやわらかさしか伝えてこない。抑えつけてくるものをはじき返す強さがない。指でつまむ、だらんと垂れた性器と同じように。


「おまえも歌えばいいんだよ、そういうのがコミュニケーションになるんだから」

吉岡は嗄《しわが》れた声で言って、走りだしたタクシーのシートに背中を預けた。

「『仮面ライダー』になんの意味があるんだよ」と雅夫は皮肉交じりに訊いた。

「ないよ」あっさり返された。「意味なんているのかよ、飲み会に」

カラオケの間ははしゃぎどおしだったくせに、若い連中と別れるとぐったりとした顔になり、口調も投げやりなものに変わってしまう。ばか騒ぎに体力がついていかない。始発電車の走る頃まで盛り上がったまま酒を飲んでいられた十年前とは、もう違う。吉岡にもわかっているはずなのに、わからないふりをする。そこが雅夫には少し腹立たしい。

「はたで見てると、吉岡の騒ぎ方って、ちょっとつらいよ」

「俺が？　なんで？」

「うまく言えないけどさ……」

「俺は、どっちかっていうと加藤の枯れ方のほうが寂しいけどな」

「べつに枯れてるわけじゃないって」

「じゃあ、シラけ方だ」

そっちのほうが近いかもしれない。

黙ってうなずくと、吉岡は「まだ三十八だぜ、元気出せよお」と言った。「出せよお」は眠たげなあくびといっしょに。

あくびは雅夫にもうつった。しょぼついた目に、六本木の街の明かりがにじむ。学生時代から三十代初め——バブル景気がはじける頃までずっと遊び場だったこの街に、あの頃通い詰めていた店は、いまはほとんど残っていない。

吉岡がなにか言った。聞き逃して手振りで詫《わ》びると、今度は苦笑交じりに「中途半《はん》端《ぱ》だよな、三十七、八って」と言う。

「うん……」

「俺は『まだ』だと思ってるし、おまえはどうせ『もう』なんだろ？」

当たり、だ。

「俺だってさ、四十になったら『まだ』なんて言わないよ。でも、加藤も三十二、三の頃は楽勝で『まだ』だろ？」

これも、当たり。

「ちょー中途半端だよな」

吉岡の「ちょー」の言い方はへたくそだ、と雅夫はいつも思う。テレビで観《み》る女子高生のように軽く無意味に言えない。どうでもいい言い方を、一所懸命にしてしまう。もちろん、それは雅夫だって同じだ。自然に口に出せるのは「うっそー」ぐらいのものだが、そんな言葉をつかう若い奴《やつ》はいまどき誰もいない。

タクシーは西麻布《にしあざぶ》の交差点から外苑《がいえん》西通りに入った。新宿駅まではあと十五分。終電の一つ前の電車に間に合う。

「まだ」だの「もう」だのといった屁理屈《へりくつ》めいたことを言わなくても、もっとわかりやすい中途半端さがある。

六本木で酒を飲んだあとは、地下鉄とJRを乗り継いで新宿まで出るのが億劫《おっくう》になる。けれど、メーターが一万円を少し超えるニュータウンまでタクシーで帰らなければならないほど疲れてはいない。酔いが醒《さ》めるでも深まるでもない二十分そこそこのタクシーの車中が、つまり三十八歳という年齢の象徴のような……こっちのほうが屁理屈かもしれない。

吉岡は腕組みをして、うとうとしはじめた。雅夫は窓を細めに開けて風を入れ、青山霊園の暗闇《くらやみ》をぼんやりと目に流し込む。

サザンオールスターズの古い歌を、息だけの声で口ずさんでみる。歌詞に「愛」や「夢」や「自由」が出てくる歌を歌うのが気恥ずかしくてたまらなくなったのは何歳頃からだったろう。

2

電車がニュータウンの駅に着く少し前に、日付が変わった。酔いはあらかた醒めていた。醒めていなければ困る。帰宅途中のサラリーマンを狙《ねら》う、こんな言葉をつかうのは悔しいが、オヤジ狩りというやつが、半年ほど前から数件起きている。警察に被害届を出していないケースを加えれば、もっと数は増えるだろう。

この時刻、電車を降りたひととタクシー乗り場の行列以外に駅前の人影はまばらだ。自動改札を抜けて駅前広場に出ると、すぐ目の前をキックボードに乗った若い男たちがねばついた笑い声とともに横切っていった。

前衛的なオブジェが点在し、雅夫の一家が引っ越してきた十年前には「ガウディの街」ともてはやされていた駅前広場は、数年前から若者たちのたまり場になっている。オブジェはどれもスプレーやサインペンの落書きで汚され、テレホンクラブのビラも貼りつけられて、不動産広告から駅前の風景写真が消えた。

雅夫はタクシー乗り場の行列を横目に、広場からまっすぐ伸びる遊歩道を進んだ。我が家のあるマンションまでは、徒歩十五分。タクシーではワンメーターにしかならず、運転手に露骨にいやな顔をされてしまう。自転車を使うにはマンションの手前の上り坂がきつい。原付バイクもマンションの駐輪場は満杯で、空きを待っている住民が雅夫の前に数人いる。

オブジェの脇を通り過ぎるとき、自然と足が速まる。こんなものぜんぶ撤去してしまえばいいんだ、と毎晩のように思う。たむろする若者にとって、オブジェは格好の居場所になる。陰にひそめば隠《かく》れ処《が》にもなる。波打ち際《ぎわ》の岩陰に貼りつくフナムシと同じだ。縄張りめいたものもできているのだろう、ごくふつうの風貌《ふうぼう》をした連中が集まっているオブジェもあれば、見るからに柄の悪そうな一団が陣取る場所もある。

駅からいっとう遠い位置にある裸婦像のオブジェは、毎日通っていれば嫌でもわかる、いらだちと不機嫌さをぷんぷん漂わせたグループの縄張りだった。

雅夫の足取りはいっそう速くなる。奴らは今夜もいる。目は合わせせない。向こうにも気づいてほしくない。狙わないでくれよ、と祈る。

すぐそばの道路に、窓をスモークにしたワンボックスカーがエンジンをかけたまま、カーステレオの音楽を大きなボリュームで流しながら停まっていた。ロック——という大ざっぱな言葉しか浮かばないのが悔しい。いや、これはヒップホップだろうか。単調なビート、抑揚のないボーカル、特徴を並べて、当てはめて、遠い昔の受験勉強みたいだ。アーティストも曲もわからない。ただ、腹を蹴《け》りつけるような重く濁った響きが、オブジェからうんと遠ざかっても、まだ聞こえてくる。

ほんのわずか青みがかった街灯の明かりにすがるようにして、家路を急ぐ。

朝から働きどおしの一日の終わりが、これだ。人生の折り返し点をすでに過ぎたのか間もなく過ぎるのかは知らないが、とにかく三十八年も生きて、じゅうぶんにおとなになって、幽霊が怖かったこどもの頃よりもずっと心細い思いで夜道を歩かなければならなくなるなど、若い頃には思いもよらなかった。

雑木林を残した公園の脇《わき》を通る。ジュースの自動販売機の明かりに引き寄せられた蛾《が》が、缶の並ぶディスプレイウインドウをつつくように、ぱたぱたと舞っている。前を通り過ぎるときにちらりと見て、落書きや異状がないかを確かめるのは、自販機メーカーの営業マンの性《さが》というやつかもしれない。ライバル社の、最新型の機種だ。半年前に設置された。この不況で、うまい営業をやったものだな、と顔も知らないその会社の営業マンを少しうらやんだものだ。

赤いスプレーで大きな×印がついている『ちかん・ひったくりに注意』の立て看板を過ぎれば、あと少し。しょっちゅう石をぶつけられて割れているカーブミラーのある四つ角を曲がれば、マンションが見える。九階建ての上から三つめ、左から三つめと四つめの窓が、我が家だ。

三つめの窓——リビングルームの明かりを見上げて、急な坂をのぼっていく。

吉岡は知らない。若い連中も知らない。話すつもりなど、まったくない。それは家族ですら知らないことだ。

帰りが遅くなった夜、雅夫はいつも心の中で『仮面ライダー』の主題歌を歌う。何度も何度も繰り返し、歌いつづける。

世界の平和を守るため——。

ゴー、ゴー、レッツゴーッ——。

『ライダースナック』のカードは1番から196番までは欠番なく揃《そろ》えていた。アイスクリームの景品のライダーワッペンを二十枚持っていた。ゾル大佐から死神博士、地獄大使に至るまでのショッカーが日本に送り込んだ怪人の名前をすべて言えるのが自慢だった。

二十五年以上も昔の話になる。

四半世紀——と言い換えると、ときどき背中がぞくっとしてしまう。

風呂《ふろ》からあがると、妻の恵子がパジャマの上に薄手のカーディガンを羽織《はお》って寝室からリビングに出てきた。

雅夫は冷蔵庫のドアを開け、缶ビールに伸ばしかけた手の向きを途中で変えて、紙パックの野菜ジュースを取った。

グラスに注いだジュースをその場で飲んでいたら、恵子は「ねえ、ちょっと今日、すごい話聞いちゃった」と言って、雅夫がリビングに戻るのを待ちきれないようにキッチンの戸口まで来た。「二階の岡田さんち、ゆうべ大変だったんだって」

「岡田さんちって？」

「ほら、茶髪の子の家よ」

「ああ……」

雅夫はまだ顔を見たことはないが、恵子から話だけは聞いている。中学三年生の少年だ。名前は、たしか洋輔《ようすけ》といった。去年の夏頃から急に不良じみてきて、髪を染め、眉《まゆ》を細く剃《そ》り、学校でも手がつけられなくなっているのだという。

「あの子、お父さん殴っちゃったのよ。前歯が折れて、もう大騒ぎだったみたい」

部屋で煙草《たばこ》を吸っているのを見つけて注意したら、いきなり殴られたらしい。恵子は「煙草じゃなくてシンナーだったっていう噂《うわさ》もあるけど」と付け加え、「小学校の頃はちっちゃくて、おとなしかったのにねえ」とため息をついた。

「金属バットかなにかでやっちゃったのかなあ」

やだあ、と恵子は顔をしかめる。

「そんなの使ったら、警察でしょ。素手のパンチだったみたいよ」

「それで歯が折れちゃうのか？」

「不意打ちだしね、当たりどころが悪かったのよね」

「いや、でも、それにしてもなあ、中学生に殴られて歯が折れちゃうってのは……」

ジュースをもう一口飲んで、「情けないよなあ、ちょっと、その親父《おやじ》も」と笑った。

無理をした、少し。

恵子もそれを見抜いたのか、「あなただってわからないわよ、博人《ひろと》、プロレスが好きなんだから」と思わせぶりに言った。

「あいつにノックアウトされるようじゃ、おしまいだよ」

長男の博人は小学五年生だ。次男の和人《かずと》は二年生。二人まとめて相手にしても、まだ腕相撲では負けたことがない。

「でも、四年後はどうなの？　博人が中学三年生で、和人が小学六年生でしょ、意外と危ないいんじゃないの？」

「俺は……四十二か……」

「わたしは、なんとなく和人のほうが扱いづらくなりそうな気がするけど」

和人が中学三年生になったら、雅夫は四十五歳。

「岡田さんちのご主人って、いくつなんだっけ？」

「四十そこそこだと思うけど。結婚早かったって、奥さん言ってたし」

恵子は雅夫の顔を覗《のぞ》き込んで、「だんだん怖くなってきた？」と笑った。

からかっているだけではない。上目遣いのまなざしが、微妙に温《ぬく》もりと艶《なま》めかしさを帯びていた。雅夫はそっぽを向いて、「疲れたなあ……」と、つくりもののため息をつく。恵子は黙って、勘違いしないでよ、というふうに、たぶんこれもつくりもののあくびをしながら寝室にひきあげた。

雅夫はその背中を、今度はほんもののため息で見送って、食器棚の引き出しを開けた。グラスに残ったジュースで、粉末のローヤルゼリーとビタミン製剤とプロポリスのカプセルを服《の》んだ。

中年のオヤジにふさわしい言い方をすれば「夜のおつとめ」というやつを、もう一カ月近くしていない。月に一度が、ここ半年ほどのペースだ。欲求不満は感じない。恵子に欲情することがなくなったわけではないが、そこから先の行為におよぶのがなんとなく億劫で、ベッドで抱き合う時間があればそのぶん長く眠っていたほうがいいと思うようになった。

空になったグラスを洗ってキッチンから出たところで思い直して踵《きびす》を返し、胃薬を水で服んだ。二日酔いになるような量ではなくても、酒を飲んだ翌朝は必ず胸焼けがする。いつ頃からそうなったかは、もう忘れた。

3

翌日、社員食堂で昼食をとっていたら、向かいの席で食後のお茶を啜《すす》っていた小林課長が、「加藤くん、ちょっとこれ見るか？」と声をかけてきた。手に握り込んだものを見ると、携帯電話のようだった。

自販機メーカーの営業マンにふさわしいのかそうでもないのか、課長は新しいもの好きで、そのくせいち早く買ったものは必ず定番になりそこねるという不名誉な伝説を持っている。ベータのビデオデッキを買った頃からの連敗記録らしい。

「またケータイ替えたんですか？」

半ばあきれて訊《き》くと、それを待っていたように課長は「みんなそう思うんだよなあ」と笑った。

「違うんですか？」

「これな、名前はくだらないんだ、『助《すけ》っ人《と》くん』って」

「はあ？」

「護身用グッズだよ。防犯ブザーにレーザーポインターもついてるし、スタンガンの真似事《まねごと》みたいに電流も流れるし、これを握り込んで殴るとパンチ力倍増なんだ」

ほら見てみろよ、と渡された『助っ人くん』には、強く握り込めるように指の形に合わせた窪《くぼ》みがついていた。指の腹があたる位置は滑り止めのラバー加工になっていて、たしかに拳《こぶし》に力が無駄なく入れられる。サイズの割に持ち重りがするが、その重さもパンチ力倍増に一役買っているのだろう。スイッチは親指で操作する。ブザーとレーザーポインターのスイッチが並び、少し離れたところに電流のスイッチ。

「押しつづけないと電気が流れないし、離すとすぐに止まるんだ。安っぽく見えるけど、これで案外よく考えてあるんだよ」

通信販売で買った。税込み一万九千八百円。雅夫が思わず「高いですねえ」と言うと、「危機管理に金を惜しむのが日本人の悪い癖なんだぞ」と真顔でたしなめられた。

「最近なにかと物騒だからな、自分の身は自分で守らないと」

「でも、課長、テニスと水泳やってるんでしょ？」

「スポーツと喧嘩《けんか》は違うだろ。体を鍛えるっていうのと腕っぷしが強くなるっていうのは別なんだよ」

「課長のお宅の近所って、そういうの危ないんですか？」

「そういうわけじゃないけど、どこに出るかわかんないだろ、今日びの強盗は」

ゆうべのワンボックスカーを、ふと思いだした。あの車の中に、たとえば若い女の子が連れ込まれてレイプされていたとしても、わからない。実直で無力な中年サラリーマンが殴る蹴るの暴行を加えられ、身ぐるみはがされていたとしても。

『助っ人くん』を課長に返し、掌《てのひら》を開いて、閉じた。ほんの短い時間だったのに、握り込んでいたものがなくなると、急に拳が小さくなったように見えた。指の付け根の関節のでっぱりも細く、やわらかく、ブロック塀にぶつけただけであっけなく骨が砕けてしまいそうだった。

課長は『助っ人くん』を背広のポケットにしまって、「まあ、お守り代わりだよな」と笑った。「へたに抵抗したらかえって危ないもんな、ガキはすぐにキレちゃうから」

「抵抗」という言葉が、なんともいえず悔しく、寂しい。おとながこどもに対して「抵抗」するご時世になってしまったのだ、いまはもう。

課長が席を立ったあと、ぬるくなった味噌汁《みそしる》を啜り、ヒジキと油揚げの煮物を箸《はし》でつついていたら、トレイを持った吉岡が「よお」と隣に座った。

「二日酔い、だいじょうぶか?」と雅夫が訊くと、「ちょっと残ったな」とみぞおちをさする。

だが、吉岡のトレイに載っているのは、ミックスグリル定食だった。熱したステーキ皿の上で、ハンバーグと牛肉のカルビ焼きと海老《えび》フライと付け合わせのスパゲティナポリタンとミックスベジタブルが湯気をたてる。ご飯は大盛りで、百円の追加料金を払ってカレーもかけていた。

「二日酔いの日はスタミナつくもの食わないと、もたないもんな」

「……毒をもって毒を制すってやつだな」

げんなりして雅夫が言うと、吉岡は逆に雅夫のトレイを覗いて顔をしかめる。

「またヘルシー定食か?」

「ああ……」

「こんなの四十になってから食えばいいんだって。なにが減塩・低カロリーだよ、経理や総務と営業は違うんだぞ、腹の減りぐあいが」

そうは言いながら、ミックスグリル定食に単品の海草サラダとヤクルトをつけているところが、やはり三十八歳の中途半端《はんぱ》さ——なのかもしれない。


一足先に食事をすませてオフィスに戻ると、小林課長は自分の席に若手を集めて『助っ人くん』を披露していた。

やれやれ、と席につき、パソコンのスクリーンセーバーを解除した。メールチェックの途中でマウスを操作する右手が止まる。ゆっくりと目の高さに掌《てのひら》を掲げ、石川啄《たく》木《ぼく》の短歌にそんなのがあったなと思いだしながら、握り拳をつくる。

ゲンコツだ——と思った。懐《なつ》かしい響きの言葉だ。

博人や和人のお尻《しり》をぶったことは何度もあるが、最後にゲンコツで誰かを殴ったのは、いつだっただろう。十年やそこらではきかない。これからの人生で、ゲンコツを使った喧嘩をすることはあるのだろうか。

左の掌にゲンコツを何発か打ちつけた。弱っちいよなあ、と首をかしげる。掌に当たるところよりも、むしろ手首に痛みが響く。さっき『助っ人くん』を握っていたときに比べると、すべてが頼りなく感じられてしかたない。

電話が何本か入り、その応対で小林課長の席のまわりにいた若手がそれぞれの席に散って、課長はひとりきりになった。

一万九千八百円という金額をぼんやり頭に浮かべて、雅夫は立ち上がる。課長は手持ちぶさたに『助っ人くん』のレーザーポインターを点《つ》けたり消したりしている。席に近づいて声をかけようとした間際《まぎわ》、不意に、ばからしいことに金を遣うような――という気になった。我に返った、と言ってもいい。

「どうした？」と課長に訊かれ、とっさに仕事の相談事を見つくろってごまかした。話しながら、腰の後ろにまわした右手でゲンコツをつくる。ほんとうに、嫌になるほどやわらかいゲンコツだった。

## 4

数日たった頃から、マンションの玄関前に若者のグループが毎晩たむろするようになった。「若者」というより「ガキ」と呼んだほうが似合う、笑い声ひとつとっても幼さのにじむ連中だ。

集まってなにをするわけでもない、エントランスの石段に座ってコンビニで買ってきたスナック菓子を食べ、車寄せのスロープでキックボードやスケートボードやマウンテンバイクを乗り回しながら、午後九時頃から十一時近くまで過ごす。駅前の裸婦像を縄張りにする連中のような禍々《まがまが》しい空気はないが、少年が七、八人集まったそばを一人で通り過ぎるのは、あまり気分のいいものではない。

最初の何日かは、家に帰ってもそのことは口にしなかった。恵子はまだ気づいていないかもしれないと思ったし、なにより、地価もローンの利率もいっとう高かった時代に三十年ローンを組んで買ったマンションだ、大袈裟《おおげさ》に言えば一生を捧《ささ》げた我が家が少年たちのたまり場になってしまったというのを、口に出して認めたくはなかった。

だが、ちょうど一週間め、雅夫が十時過ぎに帰宅すると、恵子のほうから「今夜もいた？」と訊いてきた。

たむろしているのは、岡田さん宅の長男——洋輔の仲間なのだという。

「あの子、お父さんを殴っちゃったでしょ、それでもう歯止めが利《き》かなくなっちゃったみたい。お母さんも困ってるんだけど、ねえ、男の子だから父親じゃないと」

「まあ、でも……ガキだからな。みんな中学生なんだろ」

「中学生だから、よけいぞっとするんじゃない。こんな時間までふらふら遊んでて、よく親がほったらかしにできるわよね。ゴミだって散らかしっぱなしだし」

「……遊んでるだけだから、べつにいいだろ。中学生だってストレス溜《た》まってるんだから」

「いまはね。でも、やっぱり怖いわよ。ウチは夜は外出しないからいいけど、中学生や高校生の娘さんがいるところなんか、塾や部活があるから心配でしょうがないみたいよ」

恵子の言葉に、雅夫はオモチャやマンガ雑誌が出しっぱなしのリビングをつい見やった。子供たちはもう寝ている。小学五年生と二年生の兄弟にとって、夜は親といっしょに過ごす時間だ。宿題をして、ごはんを食べて、風呂《ふろ》に入って、テレビを観《み》て、眠る時間だ。

だが、いずれ、そんなに遠くない将来、博人も和人も夜を友だちと過ごすようになる。親と顔を突き合わせるより友だちといたほうがずっと楽しいことぐらい、雅夫だって知っている。昼間の街よりも夜の街のほうが、たとえなにをするわけでなくても遥《はる》かに魅力的だということも、知っている。それでも、「遊びに行ってこい」とは言えない。「遊びに行くな」と、いつまで言えるかはわからない。

雅夫は上着を着たままリビングのソファーに座って、「だいじょうぶだよ」と言った。

「なにが？」

「だから、玄関にたまってる奴《やつ》らだよ。心配するほどのことはないと思うけどな。俺だって、塾の帰りなんかにけっこう夜遊びしてたし」

恵子はあまり信じてはいない顔をして、「理解あるじゃない」と言った。

「そういうんじゃないけど……」

「物わかりよくしたほうが楽だもんね。こないだ雑誌に書いてあったわよ。カミナリ親父《おやじ》はどこに行ったんだ、って」

「時代が違うんだよ、そんなの」

「一度、あの子たちに声かけてみれば？」

冗談だと思って苦笑いで聞き流したら、「そういう話も出てるのよ」と恵子はつづけた。「男のひとが一回注意したほうがいいんじゃないか、って」

「管理人にやってもらえばいいだろ」

「そんなの無理よ、夕方五時になったら、ほんとに時報と同時に帰っちゃうようなオバチャンなんだから」

「だったら……自治会とか管理組合でやればいいんだよ。そういうの決めてるんだよな？　だったら、任せればいいって。そのほうが大義名分がたつっていうか、ただのオッサンが注意したって聞くわけないんだから」

「今年の会長さんって、岡田さんのところなの」

「……防犯委員ってなかったっけ？」

あるわよ、と恵子はうなずいて、人差し指をゆっくりと自分と雅夫に向ける。

「今年はウチなの」

遠回りのすえにやっと目的地にたどり着いた旅人のように、恵子は長い息をついて、啞然《あぜん》とする雅夫に「しょうがないわよ、あみだくじで決まったんだから」とかたちだけ笑った。


恵子の小さないびきを聞きながら、布団《ふとん》の中でぼんやりと昔のことを思った。

こどもの頃から正義感が強かった。「正義」などという言葉をつかうと自分でも照れてしまうが、やはりあれは「正義」だったのだろうと思う。ガキ大将というわけではなく、ふだんはおとなしい少年だったのに、理不尽なことを強いられたり誰かを守ったりするときには、自分でも驚くほどの激しさで相手に立ち向かっていった。

右の眉《まゆ》の上に、いまはもう爪《つめ》でひっかいてわかるかどうかの小さな傷がある。小学二年生のとき、五年生か六年生の連中にいじめられていた同級生の女の子を助けるために喧嘩をした。こてんぱんにやられて、最後はうつぶせに倒されたはずみに校庭の小石で眉の上を切ってしまった。保健室にかつぎこまれて、病院で三針縫った。

相手に怪我《けが》を負わせたこともある。野球がうまいのをかさに着てわがままばかり言う同級生と喧嘩になり、取っ組み合いになったすえに、向こうが鼻血を出してしまったのだ。小学六年生の頃のことだ。

喧嘩の勝ち負けを通算すれば、きっと負け越しになるだろう。恥ずかしいとは思わない。逆に、それが誇りでもある。年上の相手や人数の多い相手にもひるまず闘いを挑んだ結果の負け越しだ。仮面ライダーのように強くはなかったが、仮面ライダーのように勇気を持って闘いつづけていた。あの頃は、たしかに。

寝返りを打ってあおむけになり、右手を上げて、暗がりにゲンコツを透かす。

小学生の頃はどのくらいの大きさだっただろう。博人や和人のゲンコツを重ねようとしたが、どうもはっきりとは思いだせない。そもそも息子たちのゲンコツを見たことなんて最近ないんじゃないか、という気もする。

息子たちは二人ともスポーツが得意だ。博人はサッカー少年団で五年生から一人だけAチームに選ばれたし、幼稚園の頃からスイミングスクールに通っている和人は平泳ぎで三百メートル泳げる。週末の夕食時は、二人で競うようにサッカーと水泳の話ばかりする。だが、喧嘩の話は、いままで一度も聞いたことがない。

ゲンコツを、左の掌にぶつけた。

思いのほか大きく音が響き、恵子が「なに？　いまの音」と眠たげな声で訊《き》いた。雅夫はそれに答えず、体を横に転がすようにして恵子の布団に入った。

セックスが夫婦の愛の営みだという意識はとうになくしている。若い頃のように性欲に突き動かされて、というのでもない。納入した自動販売機を飲料メーカーの担当者やメンテナンスのスタッフといっしょに半年に一度巡回するようなものだ。

いかがでしょう、どこか不都合な点はございませんでしょうか、デザイン的にも多少古びてまいりましたし、減価償却も終わりましたので、もしよろしければ最新型のカタログを置いていきます、お暇な折りにでもご検討いただけますでしょうか、当社自慢の新製品ですので必ずやご満足いただけるかと、はい……。

翌朝、出がけに恵子から「あの子たちにガツンと言ってやってよね」と念を押された。険のある口調だった。

ゆうべは、恵子を満足させられなかった。若い頃のように早く果ててしまうのではなく、恵子が終わっても雅夫の性器は中途半端に高ぶったままだった。恵子が顔をゆがめて「痛いから、もうやめて」と訴えるまでつづけた。恵子が体を離したあと、コンドームをはずし、下着をつけて、そのまま眠った。夢も見ない、深い深い眠りだった。

エレベータを降りてエントランスを抜けたとき、ドアの脇《わき》の人影に気づいて足を止めた。中年の男が壁に向かってしゃがみこんでいた。雑巾《ぞうきん》で壁を——油性の太いサインペンで書かれた落書きを、消しているところだった。

足元に置いてあるバケツの腹に〈自治会〉とあるのを見て、このひとが岡田さんだろうかと思っていたら、男も雅夫に気づいて振り向いた。

自己紹介がなくてもわかる。

鼻と上唇の間に、青紫色のアザが残っていた。

雅夫が動揺を隠して会釈《えしゃく》をすると、岡田さんも「おはようございます」と言った。予想していたよりずっと軽い声で、顔には愛想笑いも浮かんでいた。

「これねえ、ひどいことする奴もいるんですよねえ……」

壁には、〈殺人部隊参上〉と殴り書きされていた。

「管理人さんが来るの九時ですから、それまでに消さないと……消えるのかなあ、ほんとに……」

また雑巾で壁をこする。ウチの息子がやったんだ、とは言わなかった。息子のことはまだなにも知られていないと思いこんでいるのだろうか。シラを切りとおすしかない、と決めたのだろうか。

岡田さんはワイシャツにネクタイを締めた上にウインドブレーカーを羽織っていた。ズボンも靴もそのまま会社に向かえるいでたちだった。マンションを出がけに落書きに気づいて、あわてて家に引き返したのかもしれない。

「なんでこんなことしちゃうんですかねえ、こどもですよね、どうせね……」

ボトル入りの液体洗剤を壁に振りかけながら、ひとりごとのように言う。

雅夫は「よろしくお願いします」と一声かけ、また小さく会釈をして歩きだした。

最初のうちは、腹立たしさに足が勝手に速まっていた。落書きをしたガキ、そんなガキを生んで育てた親、まとめてぶん殴ってやりたい。

だが、やがてそれは寂しさとむなしさに変わって、足取りが重くなる。下り坂にさしかかる前にマンションを振り向くと、小さく岡田さんの背中が見えた。ちょうど雑巾をバケツの水で洗っているところだった。深くうつむいているせいで頭が体に隠れ、なんだかそれは首をはねられたあとの罪人のようにも思えた。

5

ほろ酔いにまかせてマンションと岡田さんのことを話すと、吉岡は「酒飲んで時間調整かよ」とあきれ顔になった。「加藤が誘うなんて珍しいと思ってたんだよなあ」

「だって、殺人部隊だぜ、向こうは。一人で文句なんかつけたら、なにされるかわからないだろ」

雅夫は自嘲《じちょう》めいた苦笑いを梅干し入りの焼酎《しょうちゅう》のお湯割りで喉《のど》に流し込んだ。あと小一時間飲んでから電車に乗れば、マンションに帰り着くのは十二時前になる。ガキどもは、もうひきあげているはずだ。

情けない。自分でも思う。おまえはそんなに臆病者《おくびょうもの》だったのかよ、と自分のおでこを小突いてみたくもなる。

「まあ、でも、よけいなことはしないほうが身のためかもしれないよな。俺でもおまえの立場になったらそうするよ、どうせ」

しかたなく認める、といったふうに吉岡は小刻みにうなずいた。

吉岡の家は一戸建てだ。雅夫とは逆に、子供は娘二人——中学一年生と、小学四年生。さっき雅夫が「息子を持つと、いろいろ苦労があるんだぜ」と愚痴ると、「娘だって同じだよ」と張り合うように返されたばかりだった。上の子は父親とほとんど口をきかず、下の子も煙草《たばこ》がけむいだの爪楊枝《つまようじ》を使うときには口を隠せだのと文句を言いどおしなのだという。

「吉岡は、親父を殴ったことあるか？」

「……ウチの親父、星一徹みたいな奴だったからなあ。息子がキレる前に親父がキレて茶碗《ちゃわん》投げてくるんだから、もう、たまんなかったよ」

おまえはどうなんだ、と聞き返され、雅夫はかぶりを振った。

「ほんとに殴ったことはなかったけど、高校に入ったあたりから喧嘩《けんか》したら勝つだろうな、とは思ってたよ」

べつだん親子喧嘩をしたわけではなかった。ふだんの生活の、ほんのささいなこと——たとえばトイレの前の廊下ですれ違ったときに、父親の肩より自分の肩のほうが高い位置にあることに気づく。風呂上がりにランニングシャツ一枚で涼む父親を見て、首筋のたるみや、薄くなった胸板に、父親はもう年老いていきつつあるんだ、と知る。あの頃、父親はいくつだっただろう。頭の中で計算したら、あと三年で自分もその歳《とし》になるんだとわかって、ため息が漏れた。

「なあ……」ぽつりと言った。「俺ら、もう年老いてきてるのかな」

「まだ、そこまではいってないだろ」吉岡は笑って、串揚《くしあ》げを頰張《ほおば》った。「若さを失うってのと老いるってのは違うもんな」

「じゃあ、いつから老いていくんだ？」

「あと五、六年ってところじゃないか。ほら、厄年《やくどし》を過ぎたあたり、そこからじわじわーって感じで、ジジイになっていくんだろうな、たぶん」

「うん……」

「でも、まあ、脂《あぶら》っこいものが食えるうちはだいじょうぶだと俺は思うけどな」

「吉岡、ちょっと悪いけど、右手見せてくれるか」

「はあ？」

「ゲンコツ、つくってくれよ」

吉岡は怪訝《けげん》な顔でテーブルに肘《ひじ》をつき、「こうか？」と拳《こぶし》を固めた。

指の付け根のでっぱりがはっきりせず、手の甲の血管も浮かない、丸っこいゲンコツだった。

「俺、ガキの頃からプクプクした手だったんだよなあ」

照れくさそうに笑う。雅夫も笑い返して、お湯割りをあおるように飲んだ。

ニュータウンの駅に着いた時点で十一時をまわっていた。ここまでは、もくろみどおり。だが、予想外に酒の酔いが深い。体のどこにアルコールが染《し》みていったのだろう、ふだんとは少し違う酔い方になっているのが自分でもわかる。

若者のたむろする駅前広場を進みながら頭の中で繰り返す『仮面ライダー』の歌が、今夜はやけに大きく、うるさく響く。

世界の平和を守るため——。

ゴー、ゴー、レッツゴーッ——。

『ウルトラマン』シリーズに始まって、『マグマ大使』『ミラーマン』『アイアンキング』『人造人間キカイダー』『快傑ライオン丸』『科学忍者隊ガッチャマン』『マジンガーＺ』……。正義の味方のテレビ番組が、どうしてあの頃はあんなにたくさんあったのだろう。勇気のある少年たちが、テレビの中にはどうしてあんなに数多くいたのだろう。

裸婦像の脇を通り過ぎた。今夜はいつもの連中はいなかった。どこかに遊びに出かけたのだろうか。獲物を探しに？　ふざけるなよ、と足元に転がるマクドナルドのシエイクのカップを踏みつぶした。

損得で憤《いきどお》りをこらえることが増えたのは中学生になってからだ。勝ち負けの可能性を計算して喧嘩をするようになったのも、その頃から。正義の味方の活躍するテレビ番組はもう卒業して、もっと放送時間の遅い、世の中やおとなを茶化して笑う番組が好きになっていた。

公園にさしかかる。雑木林の陰になる暗がりをしばらく進み、門の並びに置いてあるジュースの自動販売機の明かりが見えてくると、ほっとする。だが、その明かりに引き寄せられるように集まってくる悪意もあるんだということも認める。自動販売機が若者を悪くした、と誰もが言う。近所のひとからクレームを受けて、設置したばかりの販売機を撤去する店も少なくない。世の中を荒《すさ》ませる元凶を売りさばいて、おだやかな暮らしを手に入れようとするのは、間違っているのだろうか……。

酔っている。

疲れてもいる。

たぶん、吉岡は認めないかもしれないが、体や心のどこかで老化はすでに始まっているのだろう。

公園の門から、数人の人影が走り出てきた。若い連中——少年——ガキ、だ。

けらけら笑いながら自動販売機のまわりに群がり、小枝のような細長いものを機械の、あの機種のあの位置なら、釣り銭口に突っ込んでいた。

一人が雅夫に気づいた。おいちょっとヤバいよ、というふうに仲間を振り向いたが、誰かが「かんけーねーよ！」と幼さの残る甲高《かんだか》い声で答えた。

雅夫は足を速めた。

なめるなよ。うめき声が喉をざらつかせる。

釣り銭泥棒の手口はたいがい把握している。あんなやり方ではぜったいに無理だ。奴《やつ》らも金を狙《ねら》っているのではないだろう。たぶんあれは、クレーム処理の担当者も頭を悩ませている、釣り銭口に犬や猫の糞《ふん》を詰めるいたずらだ。

大股《おおまた》になり、小走りに近くなって、逃げるのではない、奴らに向かっていった。

何人かの顔に見覚えがある。マンションのエントランスにたむろしている連中だ。

ガキのくせに、でかいつらしやがって。

自分がガキの頃、おとなに言われていちばん腹が立った言葉を、喉の奥で転がした。

右手に提げていた鞄《かばん》を左手に持ち替え、ゲンコツをつくった。

「おい、そこでなにやってるんだ」

奴らの真後ろに立ち、不用意に距離を詰めないように気をつけて声をかけた。人数は五人。ショッカーの戦闘員を蹴散《けち》らす仮面ライダーとは違う、まともに闘って勝ち目はない。

振り向いた五人は一瞬だけバツの悪そうな表情を浮かべたが、雅夫と目が合う寸前に隣の仲間と顔を見合わせて、にやにや笑う。歯向かってくる気配はない。しかし、おとなに叱《しか》られているという意識も感じられない。

自動販売機の釣り銭口には、木の枝が刺さったままだった。犬の糞のにおいがする。

「そこの棒、早く抜け」咳《せき》を押しとどめるように喉をすぼめた。「汚したところも、ティッシュでいいからきれいに拭《ふ》けよ」

「はあ？」――とぼけた声が返ってきた。自動販売機のいちばん近くに立っている、髪を茶色、もしかしたら金色に染めた、ひょろりと背の高いガキだ。

「なんでそーゆーの、そっちに言われなきゃなんねーわけ？　権利あるわけ？」

他の連中も勢いづいたように冷ややかで無遠慮な視線を雅夫にからみつけてくる。

「自分のものでもないくせに、えらそーなこと言わないでくれる？」

パーカの前ポケットに両手をつっこんで肩を揺すりながら、髪を染めたガキがつづける。おとなをなめているだけでなく、ちらちらと敵意が覗《のぞ》くようになった。

「みんなのものだ。みんなが使うんだよ、自動販売機は。こんなことしたら、みんなが迷惑するじゃないか」

雅夫はひるみそうになるのをこらえて言った。声が少し震えた。

「みんなって、誰よ。どこにいんのよ、連れてこいっての」

せせら笑って真顔に戻る、その瞬間の顔が、今朝会った岡田さんに重なった。

「……おまえ、岡田っていうんだろ」

返事はなかったが、洋輔本人よりもまわりの反応で、当たりだとわかった。

行こうぜ、と洋輔は顎《あご》をしゃくり、雅夫をよけて歩きだした。残りの四人もあとにつづく。

「ちょっと待てよ。そこの棒抜いて、きれいに掃除しろ」

立ち止まらないし、振り向きもしない。門の前に停めてあった自転車にまたがったり、手に持ったキックボードのスティックを延ばしたりしながら、テレビのことを話して、笑い合う。

小柄な一人が、自転車のチェーン・ロックをはずすしぐさといっしょに雅夫をちらりと見て、言った。

「今度、殺すから」――自分の足元に唾《つば》を吐いた。

雅夫は顔をそむけ、自動販売機をにらみつけた。犬の糞で汚された自動販売機は、冷却装置の調子がよくないのか、カタカタと小さく震えていた。

便利になりますよ――営業のトーク・マニュアルに書いてある。店番も要りませんし、ご近所の皆さんにとっても便利になるんですから、大歓迎ですよ。貴店の効率化うんぬんを超えて、町のひとびとの幸せな暮らしのお手伝いができるはずなんです。幸せ――たしかに、その言葉をつかった。何度も何度もつかってきた。だましているつもりなど、なかった。

「おまえら、ちょっと待て!」

怒鳴り声と同時に体が動いた。バネ仕掛けのように勢いよく迫っていった。

五人はあわてて逃げだした。洋輔もキックボードに片足を載せ、片足で地面を蹴ってスピードをつけ、門を出て右に曲がりかけたところで――転んだ。

肘から、地面に落ちた。

くぐもった鈍い音が聞こえた。

門を左に曲がった仲間たちは、自転車やキックボードにブレーキをかけることもなく走り去った。

# 6

パーカの袖《そで》から軽くさわっただけで、洋輔は「痛えよ、痛えよ」と幼いこどものような悲鳴をあげた。「ヒビが入ってるかもな」と雅夫が言うと、「マジかよお」と半べその声になる。

「ほら、立ってみろ。足はだいじょうぶなんだろ」

右手を取って、立ち上がるのを手伝ってやった。最初は手助けを嫌がっていた洋輔だったが、どうやら左の足首もひねっているらしく、けっきょく雅夫に抱き取られるような格好で立ち上がった。

「歩けるか?」

「……わかんねえよ、そんなの」

「家まで送ってってやるから、ちょっとここで待ってろ」

洋輔をガードレールに腰かけさせて公園に引き返し、手頃な小枝を見つけて、自動販売機の前に立った。

釣り銭口の小枝を抜き取って中を確かめると、犬の糞は、こういうところがずる賢さだ、外からは見えづらい奥のほう、釣り銭を取るときに指が触れるぎりぎりの場所になすりつけてある。

鞄から出したポケットティッシュを小枝の先に巻きつけ、かがみこんで糞を拭き取った。糞がつぶれると、鼻の曲がりそうなにおいがたちのぼる。顔をしかめ、息を詰めて、ときどき体を起こして腰を叩《たた》きながら、作業をつづけた。

背中に洋輔の舌打ちが聞こえた。ちょっと嫌味かな、と雅夫も思う。だが、そこまでやって見せなければなにも伝わりはしないんだろうな、という気もする。

汚れたティッシュを取り替えるとき、小枝を持った右手がゲンコツの形になっていることに気づいた。役立たずの拳だった。明日の朝になれば情けないと思うかもしれない。それでも、いまは、まあいいや、と自分を許してやった。

システム手帳を一枚破って、釣り銭口に敷いた。販売機の側面に貼《は》ってあるステッカーで設置番号とメンテナンスの電話番号を確かめ、携帯電話で連絡をとって経緯《いきさつ》を伝えた。

電話を終えると、洋輔を振り向いて「ラッキーだったよ、二十四時間体制のメンテナンスだったから」と笑ってやった。

洋輔は胸の前で折り曲げた左肘を右手で押さえながら、ふてくされたようにそっぽを向く。

「徹夜で働いてるひともいるんだよ」

「……べつに、金もらってるんだから、いいじゃん」

それはたしかにそうだ。だが、それだけではない。

倒れたキックボードを拾い上げて、「おとなになればわかるよ、おまえにも」と言った。洋輔はさらにふてくされた顔になり、雅夫も、ガキの頃にはそういう言葉を吐くおとながいちばん嫌いだったんだよな、と苦笑いを浮かべる。

「肩につかまれよ、帰るぞ」

「帰るって……オレんち知ってんのかよ」

「同じマンションだ」

「マジ？」

「おまえらがゆうべ落書きした、あのマンションだよ。知ってるか？　今朝お父さんが消してたぞ、雑巾《ぞうきん》で」

洋輔は少し黙って、「肘《ひじ》、めっちゃ痛えよ」と言った。

「上にしてないと痛いぞ。右の肩をつかんで、肘をできるだけ持ち上げろ」

「持てねーよ、そんなの、痛くてよお」

「がまんしろ」

「……足も、死ぬほど痛え」

「あと少しだよ、がまんしろって」

そう言う雅夫のほうも、かなりきつい。スティックを縮めて折り畳んだキックボードを右の脇《わき》に抱え、右手に鞄を提げ、左手で洋輔の体を支えて、歩きだして気づいた、洋輔は雅夫より背が高かった。

マンションの手前の上り坂にさしかかったところで、肩を抱いて歩くのは限界になった。

立ち止まり、洋輔をまたガードレールに腰かけさせて、携帯電話を取り出した。

「一人じゃ無理だな」

恵子を呼ぶつもりで短縮ボタンを押しかけて、ふと別の考えが浮かんだ。最初は唐突だと思ったが、なるほど、とうなずいてみるとあんがい悪くないアイデアだった。

「おまえの家の電話番号教えてくれよ」

「はあ？」

「お父さん、もう帰ってるだろ。お父さんに迎えに来てもらおう」

「……なんでだよ、そんなのかんけーねーじゃんよ」

「あるに決まってるだろ。息子が怪我《けが》したんだから」

洋輔は「やだよ、ぜってーやだ」と地団駄《じだんだ》を踏んだが、左足が地面に触れると顔がゆがみ、短い悲鳴があがる。

雅夫は見ないふり、聞かないふりをして、我が家に電話をつないだ。

「自治会の名簿あったよな」と岡田さん宅の電話番号を尋ねた。

恵子は「どうしたの？」と怪訝《けげん》そうに訊《き》いたが、詳しいことはあとで話すから、と急いで名簿を探させた。公園でのできごとをすべて話したら、恵子はどんな顔になるだろう。なんでよけいなことしちゃったの、と怒るかもしれない。逆恨《さかうら》みされたら怖いじゃない、とも。だが、これしかできなかった。こうしなければならないんだと思った。後悔はない。

恵子に教わった番号に電話をかけた。

「やめろよ、マジかよ、なに考えてんだよ、信じらんねーよ、てめえぜってー殺す、ばーか」

呼び出し音を聞きながら、洋輔を振り向いた。

「少し黙ってろ」

ゲンコツの声が、出た。

電話を切って五分もたたないうちに、スウェットの上下を着た岡田さんが小走りに坂を下りてきた。どたどたとした不格好な走り方だったが、脇目もふらず、といった様子で駆けていた。

荒い息のまま礼と詫《わ》びを言いかけるのを制して、雅夫は笑って言った。

「キックボードは僕が持ちますから、息子さんをおぶってあげてください」

洋輔は「そんなのしなくていいよ、歩けるって言ってるじゃんよ」と怒った声をあげたが、もうその声に最初の頃のような余裕はなかった。

岡田さんはためらいがちに洋輔の前に立ち、ほら行こう、と背中を向けてしゃがみこんだ。

「無理だって、ぜってーつぶれるって」

「だいじょうぶだよ」雅夫が言う。「親父《おやじ》をなめるなよ、こういうときは力が出るんだから」

ですよね、と岡田さんを振り向いた。岡田さんはたしかに小柄で、運動とはおそらく無縁の日々を過ごしていて、一瞬不安げな顔にもなったが、「やっぱりやめときます」とは言わなかった。

洋輔は黙って岡田さんの背中に体を預けた。立ち上がるときに足をふらつかせた父親に、「ほら、マジ、やばいって」と細い声で言う。

「だいじょうぶだ」――今度は、岡田さんが言った。

雅夫は「しっかりつかまってろよ」と洋輔に声をかけて、先に立って歩きだした。

「マジ、つぶれるって、無理だよお」と、その一言を最後に、洋輔の声は聞こえなくなった。雅夫は早足に、二人との距離をどんどん広げていく。岡田さんと洋輔は、ときどき、低い声でなにごとか話していた。言葉は聞き取れない。そういう気づかいができるところがおとななんだ、と歩きながら笑った。

岡田さんは汗びっしょりになりながら、最後まで息子をおぶった。

父親の背中から降りた洋輔は、エレベータの中でずっとうつむいていた。

岡田さんと洋輔は二階で降りた。

「ほんとうにご迷惑をおかけしました、明日またあらためてご挨拶《あいさつ》に……」とホールで何度も頭を下げる岡田さんの後ろで、洋輔はうつむいたまま上目づかいに雅夫を見て、小さく会釈《えしやく》をした。照れくさそうに頬を少しだけゆるめていたような気もしたが、閉じる扉が邪魔をしてはっきりとは確かめられなかった。

七階に向かって上昇するエレベータの中で、雅夫はいてもたってもいられない気分になって、でたらめにシャドーボクシングをした。酔いはとっくに醒《さ》めていたが、頬が火照《ほて》り、なんだか全身の血の巡りがいつもより速くなったような気がする。

怪我が治ったら復讐《ふくしゅう》されちゃうかもなと思い、だいじょうぶだよあいつは、とも思う。よくわからない。殴り合いになって、やわらかいゲンコツがどれほどの武器になってくれるか、自信などまるでない。

『助《すけ》っ人《と》くん』、やっぱり買うか――?

答えのわかっていることを自分に訊いて、右ストレートを虚空《こくう》に放つ。

エレベータが停まる。扉が開く。

廊下に出ると何歩か助走をつけて、右足で回し蹴《げ》りのポーズ。

ライダーキック、とうっ!

廊下の先で、半分開けたドアから顔だけ外に出していた恵子が、やだあ、と笑うのが見えた。

# はずれくじ

# 1

夕暮れの雑踏に宝くじ売り場のボックスを見つけて、修一《しゅういち》はふと足を止めた。いっしょにいた勇輝《ゆうき》はそれに気づかず、何歩か先に進んでから振り向いた。

「どうしたの？」

「宝くじ、買ってみるか」

「はあ？」

目が合った瞬間、我に返った。頭の中でふわっと浮き上がった思いを、あわててつかまえた。

「そんなことやってる場合じゃないか」

冗談に紛らせると、勇輝も「そうだよ」とからかうように笑った。やっと頬がゆるんだ。病院にいるときからずっと、こわばった顔をしていた。声をかけてもうつむいたきりで、「おまえが入院するわけじゃないんだから」と肩を軽く叩《たた》くと、泣きだす寸前のまなざしでにらみ返されたのだった。

少し意地悪をして、修一は言った。

「ヘンなところでツキを使っちゃうと、お母さんに怒られちゃうかもな」

「そんなの……関係ないよね？」

あんのじょう、また不安げな顔になった勇輝に、「だいじょうぶ」と言ってやった。我が家の一人息子は、本人は認めるのを嫌がるだろうが、気が弱い。臆病《おくびょう》で、心配性で、それを「優しいのよね」と言ってくれる母親にすぐに甘える。家族でなにかをするときには、決まって二対一で、父親の分が悪くなる。

「手術っていっても、すぐすむんだから」

「失敗とかしないよね」

声変わりがまだ終わりきっていないせいだろう、勇輝の声はびっくりするほどおとなびたかと思えば、幼い頃の舌足らずな響きに戻ったりする。いまは、こどもの声だった。

「楽勝だよ、心配するなって」

修一は苦笑交じりに言って、正面から吹きつけてくる風に身をすくめた。この冬いちばんの冷え込みだと、病院の待合室で観《み》たテレビのニュースが伝えていた。病院にいた二時間で服に染《し》み込んだ消毒薬のにおいも北風に剝《は》ぎ取られたはずだ。

また並んで歩きだすと、勇輝が「お父さん」と声をかけてきた。「宝くじとかって当たるの？」

「当たらないよ」

「でも、ナンバーズとかミニロトとかって、けっこう当たるんじゃないの？」

「当たらないって。そんなにかんたんに当たるんだったら、みんな買ってるだろ」

話を切り上げるつもりで、修一は駅に向かって足を速めた。

つまらないことを思いついたものだ、と自分でもあきれた。

足がさらに速まる。勇輝も黙って、小走りに近い足の運びでついてくる。

勇輝と二人きりで歩くのはひさしぶりだった。一年や二年ではきかない、小学校の、もしかしたら低学年の頃以来かもしれない。

腰のあたりが落ち着かない。なにか話しかけようとして、うまい話題が見つからずに空咳《からぜき》をするのを、さっきから繰り返している。勇輝のほうも、いかにも居心地悪そうにうつむいて歩く。だが、とにかく二人でがんばるしかない。

妻の淳子《じゅんこ》が、今日、大学病院に入院した。年末から腰の後ろが痛いと言っていた。正月明けに近所の病院で腎臓《じんぞう》結石と診断されてから半月近く待って、ようやく大学病院のベッドが空いたのだった。

今日のうちに検査をすませ、明日の日曜日を挟んで、月曜日の午前中に手術を受ける。手術といっても大掛かりなものではなく、患部の外からレーザーをあてて石を細かく砕くので、開腹する必要もない。遅くとも木曜日には退院できる見通しだったが、結婚して十五年目で初めての病気らしい病気だった。入院するのも、勇輝を産んだときの一度きり。我が家が父と息子だけになるのは、つまり、これが初めてということになる。

こどもとはいっても、もう勇輝は中学一年生だ、マンションの防犯もしっかりしているし、生活のこまごましたところはだいじょうぶだろう。

だが、食事や洗濯や掃除といったふうには名付けられない暮らしの根っこに、ひどく億劫《おっくう》な気分がひそんでいる。

「いいチャンスじゃない、親子のコミュニケーションってやつ、深めちゃいなさいよ」と淳子はゆうべ冗談めかして言っていた。笑い返そうとしてできなかった、そのときの頰のこわばりが一日たってもまだ残っている。淳子の笑顔も少し皮肉めいていたと、いまになって気づいた。

駅に着くと、二十分に一本の特急電車が出たばかりだった。夕食にはまだ早い時刻だったが、修一は勇輝の顔を覗《のぞ》き込んで言った。

「勇輝、ラーメンでも食うか」

「いいよ、どっちでも」

「腹減ってるだろ」

「べつにそんなことないけど、お父さん食べたいんでしょ？　だったらいいよ」

「お父さんが、じゃなくて、おまえはどうなんだ？」

「だから、どっちでもいい」

「……食いたいのか食いたくないのか、それくらいわかるだろ」

修一が少し鼻白んで言うと、勇輝は困惑して首をひねり、「あれば食べるけど、なくてもべつにいいけど」と返す。

勇輝はいつも、そういう言い方をする。「よし、じゃあ食うか」と修一が決めてラーメン屋に入れば一人前をたいらげるだろうし、「だったらよそう」となっても、べつに残念がるそぶりは見せないだろう。

「どーうするかなーあ」

修一はため息を隠して、間延びした声で言った。

「ぼく、どっちでもいいよ、ほんとに」と勇輝が念を押す。

「そういうのがいちばん困るんだよ」

「でも、どっちでもいいんだもん」

先にラーメンと決めるのがよくないのかもしれない、と思った。

「だったら、あれだ、おまえ、いまなにが食いたい？　なんでも言えよ、欲しいもの。それを食おう、なっ」

われながらいいアイデアのつもりだったが、勇輝はまた困惑顔になって「べつに、なにもないけど」と言う。

「そんなことないだろ、勇輝、スパゲティとか好きじゃなかったっけ？」

「好きだけど、べつにいま、すごい食べたいってわけでもないし」

修一は、今度はため息を隠さなかった。この調子で一週間過ごすのかと思うと、さらにもうひとつため息が重なる。

「お父さんがラーメン食べたいんだったら、いいよ、ぼくも食べるし。おなか空《す》いてるんでしょ？」

気をつかってはいるのだろう。だが、そこが父親をいらだたせるのだということに気づいていない。中学一年生というのは中途半端《はんぱ》な時期だ。おとなの胸の内をなまじ察することができるぶん、こどもの屈託のなさをなくしてしまい、といっておとなの考えていることの深みにまで思いが届いているわけでもない。

「帰るか」と修一は言った。投げやりな口調にはならないよう注意したが、どう聞こえたかはわからない。

「各停でもいいだろ、途中で特急に乗り換えれば同じことだもんな」

勇輝は「そうだね」とうなずいた。自分の考えと同じだから賛成するのではなく、もうぜんぶ任せるから、というふうな声としぐさだった。

勇輝に切符を買いにいかせた。少しの間でいい、離れていたかった。券売機に向かって走っていく勇輝の背中を憮然《ぶぜん》としたまなざしで見送っていると、なんでこんな子になっちゃったかなあ、と声にならないつぶやきが漏れた。

さっきから喉《のど》の奥に苦いものが貼《は》りついている。宝くじの話をしたときから、ずっと。

不意に宝くじを買う気になった理由は、自分でもよくわからない。

ただ、宝くじの話をして、父親のことを思いだした。いや、逆に、勇輝と二人で歩いていたから父親のことが無意識のうちに記憶から浮かび上がって、宝くじに結びついてしまったのかもしれない。

どっちにしても、あまりいい気分ではなかった。

切符を買った勇輝が駆け戻ってくる。

修一はそっぽを向いて、空咳をまたひとつ、した。


父親は、東京から何百キロも西にある山あいの小さな町で役場勤めをしていた。無口で、まじめで、酒も博打《ばくち》もやらず、感情があまり顔に出ないひとだった。両親と、三つ上の姉と修一の四人家族。修一が幼稚園の頃までは祖母もいた。代々つづく農家の、父親は長男だった。母親は畑仕事のかたわら、週に何日かパートタイムで腕時計の部品をつくる工場で働いていた。裕福とはとても言えないが、貧乏というわけでもない、どこにでもある平凡な暮らしだった。

そんな毎日を、父親はどう思っていたのだろう。

父親は五年前、還暦を過ぎてほどなく、くも膜下出血で逝《い》った。別れを覚悟する間もない、あっけない死だった。

父親を亡《な》くしたとき、修一は三十五歳だった。その頃からときどき、父親がなにを考えて自分たちを育ててきたか、思いをめぐらせるようになった。

目に見えるかたちでいさかいがあったり、父親が不満を漏らしたりしていたわけではない。家では仕事のことはなにも話さないひとだったし、子供の前で夫婦喧嘩《げんか》をしたこともない。

だが、父親はほんとうに自分の暮らしに——田舎町の役場で与えられた仕事を黙々とこなすだけの人生に、満足していたのだろうか。

趣味と呼べるようなものなど持っていなかった父親が、唯一《ゆいいつ》、小遣いのなかから買いつづけていたものがある。

それが、宝くじだった。

## 2

日曜日は朝寝坊をしてしまった。途中で何度か目は覚ましたのだが、「あなた、ほら、ごはんできてるわよ」という淳子の声がないと、起きあがるきっかけがつかめず、薄目のまま寝返りを打っているうちにまた眠り込んでしまう。

何度目かに寝入ったとき、短い夢を見た。こどもの——いまの勇輝よりももっと幼かった頃の自分が、いた。

ふるさとの町からバスで三十分ほどの距離に、その地域でいちばん大きな町があった。鉄道が走り、デパートもある町だ。

ひと月かふた月に一度、日曜日に家族で買い物に出かけた。途中で父親とは別行動になる。時間を決めて、デパートの正面玄関で待ち合わせる。たいがい父親のほうが先に玄関に来る。ベンチにぼんやりと座って、母親と姉と修一が時間ぎりぎりに降りてくると、「ほんまに買い物が長《なげ》えんじゃけえ」とあきれたように笑うのが常だった。

夢に出てきたのは、そんな日曜日の光景――デパートのどこかのフロアで父親と別れ、母親と姉と三人でエスカレータに乗る場面で目が覚めたのだった。

時計を見ると、もう十時を回っていた。勇輝は朝食をすませたのか、壁越しのリビングから物音やひとの気配は伝わってこない。

布団《ふとん》に横たわったまま息をつくと、夢のつづきの場面がぼんやりと浮かんだ。

「そうだよなあ……」とつぶやいて、ベッドに起きあがって服を着替えながら、記憶をたどってみた。たまに思いだして、そのたびになにか重苦しい気分に包まれる、母親にも姉にもまだ話していない、父親をめぐる記憶だ。

修一は小学生だった。二、三年生の頃だったように思う。秋だったか冬だったか、いずれにしても父親は厚ぼったいオーバーを着ていた。

その日の買い物は、姉の服選びがふだん以上に長引いて、退屈した修一は一人で正面玄関に降りていった。

父親の姿はベンチになかった。怪訝《けげん》に思って周囲を見回すと、宝くじ売り場にいた。こどもの目には壁のように大きく見える背中を丸めて、くじを買っていた。声をかけるとぎょっとした顔で振り向いて、それから、照れくさそうに笑った。

ベンチに座ると、父親は買ったくじを一枚見せてくれた。お札のような細かい模様の入った、少し赤みがかった紙だったような気がする。

「ここの売り場は、よう当たりが出るんじゃ」と父親は言って、修一が返したくじをだいじそうに財布にしまった。

父親が宝くじを買っていることは、修一も知っていた。夕食のあと新聞を広げて、発表された当たり番号と手元のくじを見比べている姿もときどき見ていた。だが、実際に買っているのを見たのはそれが初めてで、最後でもあった。

百万円という金額を父親は口にした。一等の賞金額だったのかどうかは知らない、とにかく百万円だった。

「当たったら、おまえ、どげんする？」と訊《き》かれた。

「自転車、買う」と答えると、父親は「店に売っとる自転車、みな買《こ》うたるわい」と修一の頭を撫《な》でた。

「お父ちゃんは？」と修一は逆に訊いた。

父親は首をかしげ、「どげんするかのう」とつぶやいて煙草《たばこ》をくわえた。

答えが返ってくるまでずいぶん時間がかかった。実際にはほんのひと息ついただけだったのかもしれないが、黙って待っている間のなんともいえない重苦しさは、いまも忘れていない。

「百万円あったら、どこへでも行けるんじゃのう」

父親は、煙草の煙を空に向かって吐きながら言った。

修一はなにも答えなかった。「どこ」は、たとえば遊園地や海水浴場ではない、もっと遠くなんだろう、という気がした。そこへ行くのは、家族みんなではなく、父親一人きりなんだろう、とも。

母親と姉がやってきた。父親はいつものように「時間がかかるのう」と言って、のう、と修一の肩を抱こうとした。

修一は父親の手をかわして立ち上がった。デパートの紙バッグを両手に提げた母親に向かって一目散に駆けていき、けつまずいて転んだ。母親と姉に笑われた。父親が笑ったかどうかは、わからない。

電話が鳴る。呼び出し音に廊下を駆けてくるスリッパの音が重なって、五度目のコールで、勇輝が電話に出た。

「はい、野島です」——おとなの声の響きで。

友だちからのようだった。「ああ、うん、俺」と返す声は、さっきよりさらにおとなびて、けれどそれがいかにも無理をして喉を絞った声だったので、修一は寝室でシャツのボタンを留めながら頬をゆるめた。頭の片隅に残る父親の顔が、すうっと滑るように、おじいちゃんの顔になる。息子には無愛想だったくせに孫の勇輝のことはかわいがっていたんだよな、と笑う。

「今日？　昼から部活だけど……うん、四時には終わると思う……」

遊びの誘いか、と見当をつけた。

「うん……まあ……いいけどさあ……」

声が、こどもに戻った。

修一はシャツの裾《すそ》を少し乱暴にジーンズに押し込んだ。

「だよな……うん、わかった、行けたら行くってことでいい？」

カーディガンを羽織《はお》るしぐさは、もっと乱暴になった。

電話が終わった気配を確かめて、修一は寝室からリビングに出た。ちょうど受話器を置いたところだった勇輝の背中に「遊びに行ってもいいんだぞ」と声をかけてやった。「でも、今夜はお父さんの手料理だからな、晩飯までには帰ってこいよ。カレーだぞ、独身の頃、得意だったんだから」

勇輝は振り向いて、「何時に帰ってくればいい？」と訊いた。

そんなの、てきとうでいいんだよ——と言いかけて、決めてやったほうが楽なんだろうな、と思い直した。

「じゃあ、六時半だ。それなら部活のあとでも遊べるだろ」

「七時とかじゃ、だめ？」

「外、真っ暗だぞ」

「うん、でもさ、ちょっと、わかんないんだよね」

修一は言いたい言葉をすべて呑《の》み込んでうなずき、「いろいろあるもんな、付き合い」と笑ってやった。

笑い返す勇輝の顔から、まなざしが、すうっと床のほうに流れ落ちた。

「どうした？」

「……べつに、なんでもない」

勇輝は顔の前で手を横に振って、自分の部屋に戻っていった。

修一はダイニングの椅子《いす》に腰かける。たいした話はしなかったのに、会議で長い報告をしたあとのように、ぐったりした。

息子に気疲れしている――？

急に不愉快になって、ばさばさと音をたてて朝刊を広げた。

3

勇輝は七時になっても帰ってこなかった。遅くなるという電話もないまま、七時半まで待っても、だめだった。

修一は一人で夕食をとった。空腹を満たすためというより落ち着かなさを紛らすために、かきこむようにスプーンを動かした。ひさしぶりにつくったカレーは水っぽく、辛みも、とがっているわりには深みに欠けていた。

心配していないといえば、嘘《うそ》になる。約束を破ったことに腹も立てている。だが、休日の長い夜を勇輝と二人きりで過ごさずにすんで、ほっとする気持ちも、胸のどこかにある。

勇輝のことが嫌いなわけではない。たしかに、赤ん坊の頃の勇輝を抱いて「こんな男の子になってほしい」と期待していたとおりには育ってくれなかったが、だからといって見限ってしまうような、そこまでひどい父親ではない。

アウトドア雑誌に出てくる親子のようだとは思わないが、一人息子だ、世間一般の父親並みの関心は持ってきたつもりだし、帰りが遅い平日はともかく、休日にはなるべく勇輝と話す機会もつくってきた。

今夜だって実際に勇輝と食卓を囲んだら、テレビもあるし、陸上部の練習の話を聞いてもいいし、カレーのつくり方を教えてもいい、意外とすんなり時間が過ぎていきそうな気もする。

それでも、二人きり——というのが、照れくさいような、わずらわしいような、いや、そういうのではなくて、もっと……。

二杯目のカレーライスを食べながら、ぴったりくる言葉をしばらく探したが、皿があらかた空になった頃になっても見つからなかった。

父親のことを、また思いだした。

修一が中学生だった頃、母親は時給がいいからと工場で遅番の仕事も引き受けていた。姉の通う商業高校も遠かったので、毎日五時過ぎに帰宅する父親と二人で夕食をとることが月に何度かあった。

ふだんは無口な父親が、そんな夜は、不思議なほどよくしゃべった。プロ野球のことや流行《はや》っている歌謡曲のこと、あとはその日の新聞に載った三面記事のことを、とりとめもなく。

修一はたいがい相槌《あいづち》を打つだけだった。自分からはほとんど話しかけなかったし、話題を先に進めたりもしなかった。視線をどこに据えていいかわからず、おかずもごはんも舌触りがもそもそして、甘さも辛さもしょっぱさもすっぱさも苦さも、母や姉のいるときより薄くなってしまったような気がして、ちっとも旨《うま》くなかった。

食事を終えても、すぐに自分の部屋に戻ることができなかった。いっしょにいてもなにをするわけでもないのに、父親を居間に置き去りにしてしまうのがためらわれて、観《み》たくもないテレビを観て、読みたくもない新聞をめくっていたのだった。

あの頃となにも変わらない。立場が、息子から親に移っただけのことだ。

カレーの皿をキッチンの流し台に置いて、水道の水をグラスで一口飲んだ。

そろそろ八時になる。

「なにやってんだ、あいつ……」

わざと声に出してつぶやいたとき、電話が鳴った。受話器を取り上げると、中年の男の声が耳に流れ込んできた。

　警察からだった。


　玄関のチャイムは鳴らなかったが、ドアを開ける音が聞こえて、修一はリビングのソファーから腰を浮かせた。

「勇輝、ちょっとこっちに来い」

　玄関脇《わき》の自分の部屋に閉じこもってしまうようなら、引きずり出してやるつもりだった。腹立たしさよりもむしろ情けなさに、みぞおちが軋《きし》むように痛む。

　うなだれた勇輝が、部活のスポーツバッグを提げたままリビングに入ってきた。

　修一はソファーに座り直し、勇輝は修一に背中を向けてダイニングテーブルについた。

「どういうことなのか、お父さんに説明してくれ」

「説明って、べつに……」

「あるだろ」

　ぴしゃりと言うと、勇輝の両肩がすぼまった。臆病《おくびょう》な息子だ。修一は顔をそむけ、眉間《みけん》に皺《しわ》を寄せて、「金魚のフンみたいな奴《やつ》は、男として最低なんだぞ」と吐き捨てた。

学校の近くのコンビニエンスストアにいたのだという。グループで店の前の駐車場にたむろして、スナック菓子を食べ散らかして遊んでいた。そのうちの何人かが煙草を吸っていて、パトロールで通りかかった警官に見つかったのだ。

勇輝は吸っていなかった。正確には、その場にいっしょにいたわけでもない。

「ハンバーガーを買いに行かされてたみたいです」――警官は電話で修一にそう言った。「買いに行ってた」ではなく「行かされてた」と、はっきりと。

「ですから、現場を直接見たわけじゃないんですがね、いっしょにいたのは確かなんですよ。その場でも厳しく注意はしておきましたが、まあ、親御さんからも指導していただきたい、というわけでして……」

警官の言葉づかいはていねいだったが、口調は冷ややかだった。心のどこかで嘲《ちょう》笑《しょう》しているようにも聞こえた。

修一はまた勇輝の背中に目を戻して、言った。

「みんな同級生だったのか」

「……先輩も、いたけど」

「同級生もいたんだろ？　同じ一年生の奴らも」

勇輝は黙ってうなずいた。

「だったら、なんでおまえだけ買い物に行かされるんだ？」

勇輝の答えを待つ前に、ふと不安が胸をよぎった。

「おまえ、まさか金も払わされてるんじゃないだろうな」

「そんなことない」

「割り勘か？」

「そう」

「でも、ウチで飯食うはずじゃなかったのか？　約束しただろ、お父さんと」

「……忘れてた」

頭にかっと血がのぼって、あとはひと息にまくしたてた。

「情けないと思わないか、子分みたいに使いっ走りやらされて。そいつらと遊びたかったのか？　違うだろ？　おまえ、行きたくなかったんだろ、ほんとは。なんで断らないんだよ、用事があるからとか晩飯までに帰らなきゃいけないんだとか、いくらでも理由はあるじゃないか」

勇輝は消え入りそうな声で「ごめんなさい」と言った。

「謝るとかの問題じゃないんだよ。お父さんに謝るぐらいだったら、今度そいつらに誘われたら、ちゃんと断れ。いいな」

　返事はなかった。うなずく様子もない。といって、友だちとの付き合いに口を出すなと言い返しもしない。

　そういう性格の息子だ。最初からわかっているし、あきらめてもいる。親は子供を選べない。たとえ、その子が「はずれ」だったとしても。

　修一は肩から力を抜いた。

「風呂《ふろ》、沸いてるぞ。入れよ」

「うん……」

「早く入れ！」

　声を裏返して怒鳴ると、勇輝はやっと立ち上がった。リビングを出ていく前にもう一度「ごめんなさい」と言ったが、聞こえなかったふりをした。

　勇輝の姿が消えてしばらくして、修一はキッチンに向かった。洗い物が、まだだった。

　流し台の蛇口をいっぱいに開いた。カレーの残りをシンクに捨てようとして両手鍋《なべ》を持ち上げたとき、ずっしりとした重みが指先に伝わった。

鍋をまたガスコンロに戻し、流し台の縁に手をかけて、しばらくそのまま動かなかった。蛇口から流れ落ちる水が食器にはねて、カーディガンの袖《そで》を濡《ぬ》らす。勇輝は帰ってからずっとこどもの声だったな、と気づく。

廊下に出て、浴室の外から声をかけた。

「腹が減ってるんだったら、カレーあるからな」

シャワーの水音しか返ってこなかった。

4

淳子の手術は無事に終わった。麻酔は局所麻酔だけだったし、食事もトイレも自分でできる。「特に付き添いは必要ありませんから」と土曜日のうちに主治医に言われていたのを、いくらなんでもそういうわけにはいかないだろうと半日の有給休暇をとった修一からすると、拍子抜けするほどあっさりとしたものだった。

「親知らずを抜いたときより楽だったわ」

六人部屋の病室に戻ってきた淳子は、点滴を受けながら、上気した顔をほころばせた。水曜日の午後には退院できる。一人でもふつうどおりに電車に乗れるという。

「だから、もう平気、お見舞いに来る必要ないわ」

「ああ……」

ベッドの脇の折り畳み椅子に座った修一は、点滴のしずくをぼんやり見つめる。

「今日もだいじょうぶだから、そろそろ会社に行っちゃえば？」

うなずくと、ため息が漏れた。

黙っているつもりだった。手術の前に二人で病室にいたときも、動揺させてはいけないと思って、なにも話さなかった。だが、淳子の顔色は悪くないし、熱も平熱。「お昼ごはん、まだかなあ」とも言っている。あとで打ち明けたら、逆に怒りだすかもしれない。

「勇輝さ、最近、あんまりまじめな友だちと付き合ってないんだな」

淳子は枕《まくら》の上で顔を修一のほうに向けて、「どういうこと？」と目を見開いた。

つとめて軽い口調で、言葉も選びながら、ゆうべの話を手短に伝えた。警察という言葉を聞いて「ちょっと、なに、それ」と声をあげ、隣のベッドを気遣ってあわてて口をすぼめた淳子は、煙草《たばこ》は吸っていなかったと知ると、ほっとしたように息をついた。

「今日、学校には行ったんでしょ？」

「ああ、やっぱり元気はなかったけどな」

カレーは、けっきょくゆうべも今朝も食べなかった。修一が「おはよう」と声をかけても、うつむいてトーストをかじりながら、くぐもった低い声で「おはよう」と応《こた》えるだけだった。

「そんなにきつく叱《しか》ったの？」

「ちょっとだけだよ」

「素直に謝った？」

「口答えするような奴じゃないからな」

皮肉交じりのつもりだったが、淳子はまともに受け取って「そうよ、あの子、悪いことなんかできないんだから」と言った。

言葉のつかい方がずれているんだ、と修一は思う。そこが父親と母親の違いなのかもしれない。勇輝は素直なのではない、従順なだけだ。親に対しても、友だちに対しても。

ハンバーガーの話もした。

「勇輝って、お人好《ひとよ》しなのよねえ」と淳子は言う。

「同級生もいたのに、あいつだけ使いっ走りにされてるんだぜ、もう、情けなくってさ」

「同級生って……竹内くんかなあ」

「知ってるのか」

「よく話に出てくるの。入学した頃から勇輝と仲良しでね、冬休みの間に急に悪くなっちゃったって言ってたもん。あなたも聞いたことない？　竹内くんって名前」

腕組みして記憶をたどってみたが、浮かんでこない。

「だめよ、子供の話は本気で聞いてあげなくちゃ」と淳子は笑った。

「……いまでも仲がいいのか、そいつと」

「勇輝って、ちょっと優しすぎるところがあるのよね」

また、言葉のつかい方がずれる。

「意志が弱いんだよ」口調を強めた。「誘われたら断れないんだ」

「まあ、でも、いっしょにいても煙草は吸わなかったわけだから、そこは、ちゃんとわかってるんだと思うけど」

ここでも、ずれた。今度は言葉の問題ではない、息子に求めているものが、修一と淳子とでは違う。

修一は椅子《いす》に深く座り直し、脚を組み替えた。もうゆうべのように感情が高ぶることはない。いまは逆だ。思いだすにつれて胸の奥が萎《な》えていく。

「俺、べつに勇輝が悪い連中と付き合ったっていいと思ってるんだ。警察に捕まるようなことをされたら困るけど、煙草ぐらいだったらべつにいいし、男だからな、ワルぶる時期ってあるんだよ。でも、だったらそのグループの中心にいてほしいんだ。いまみたいに、ひとの尻尾《しっぽ》にくっつくのって、やっぱりな……」

「勇輝が煙草吸ってたほうがよかった？」

修一は喉《のど》を低く鳴らした。

「主犯のほうがいいの？　なんでそうなっちゃうわけ？」

修一は「誘われても断るのがいちばんいいんだけどな」と付け足したが、淳子はアメリカのホームドラマに出てくる主婦がうんざりするときのお芝居のように、瞳《ひとみ》と肩を持ち上げて言った。

「自分の価値観を、勇輝に押しつけないでね」

しばらく沈黙がつづいた。静けさが重さに変わって、背中に降り積もるのを感じた。

別の患者の見舞客が病室に入ってきたのをしおに、修一は席を立った。

「退院したら、勇輝にお説教しなきゃ」

淳子はそう言って、息だけの声で諭《さと》すようにつづけた。

「あと、月曜日でしょ、今日。塾の日だから勇輝の帰り遅くなるわよ。早とちりして怒ったりしないで」

反射的に返しかけた「ちょっと待てよ、それ勘違いだろう」を飲み込んで、黙ってうなずいた。なるほど、こういうかばい方もあるのか、と皮肉抜きで感心した。

息子までの距離は、淳子に比べるとずっと遠い。自分が思っていたより隔たっていたこともわかった。だが、勇輝が塾に通うのは火曜日と金曜日だということぐらいは、知っている。

都心に向かう電車の中で、ふるさとのことをまた思いだした。

東京の私大に進学したときも、就職先を東京に本社のある通信機器メーカーに決めたときも、東京で知り合った淳子と結婚したときも、母親とは喧嘩《けんか》になった。長男が都会に出てしまったら家はどうなるんだ、親の面倒は誰が見るんだと、たぶんいまでも――父親が亡《な》くなり、姉もデパートのある町に嫁いだいまなら、よけいに不安がっているだろう。

だが、父親は修一の進路にいっさい口を出さなかった。相談しようとしても、それをさえぎるように「おまえの好きなようにすりゃええ」としか言わなかった。くどくどと愚痴めいたことを言いつのる母親を、「おまえは黙っとれ」と叱りつけたこともある。

感謝している。

けれど、ぶつかり合わなかったぶん、父親の本音もわからずじまいになってしまった。

父親は、若い頃にはどんな人生を夢見ていたのか、息子や娘がどんなふうに育つのを願っていたのか。なにも聞かなかったことを、いま、悔やんでいる。

姉は、何年か前に言っていた。

「お父さん、ほんまは修一に田舎に残ってほしかった思うよ」

父親の三回忌の法要のとき、叔母はこんな話をしていた。

「あんたのお父さんは、長男じゃけえ家を継いだけど、ほんまは都会に出たかったんよ。ほいじゃけえ、修一には好きなようにさせてやったん違うかなあ」

父親は、東京に出ていった息子に、なにかを託そうとしたのだろうか。

だとすれば、「はずれ」だ。

自分の願いどおり上京して、二十二年になる。ふるさとにいた頃よりも上京してからの年数のほうが長くなった。願いどおりに生きてきたわけではなかった。我慢をして、妥協をして、ときどき愚痴をこぼしながら小さな暮らしをなんとか支えて、今日まで来た。

目標や義務はたくさんある。だが、夢は——ない。探せば見つかるのかもしれないが、「ある」と言い切るのが気恥ずかしい。目の前にある、やらなければいけないことをこなしていくうちに年老いてしまうのだろうと覚悟を決めている。ふるさとから遠く離れた東京で、自分と似たような人生を過ごしている息子を見たら、父親はなんと言っただろう……。

## 5

午後の早い時間に会社に着くと、外出の支度をしていた部下の阿部が「助かったあ」と、へなへなと床に座り込むジェスチャーでおどけた。

商品の納入をめぐって得意先からクレームがついたのだという。「係長が来るの、ぎりぎりまで待ってたんですよ」とそばの席の女子社員が笑いながら教えてくれた。

事情を訊《き》いてみると、たしかに入社二年目の阿部には少し荷が重そうだったが、係長の修一が行かなければどうにもならないというほどではない。むしろ一人前の営業マンに成長するにはいい機会だ。

だが、阿部は修一が出社したことで、プレッシャーから解放された顔になっていた。「一人で処理してみないか」と水を向けても、「ヒラが詫《わ》び入れるだけじゃ、向こうもおさまんないでしょう」と端《はな》から逃げ腰で、それを見ていると、修一のほうも仕事を任せる気がうせてしまった。

「わかった。じゃあ、いっしょに行くか」

「すみません、お願いします」

阿部は屈託なく最敬礼する。上司に自分のミスの尻拭《しりぬぐ》いをしてもらうバツの悪さもなければ、自分がやろうと思っていた仕事を上司に奪われた悔しさもない。

「なあ、阿部。おまえ、もし俺が来なかったらどうするつもりだったんだ？」

「そうなったら、ハラくくって一人で行きますけどね」

「だったら、やっぱり……」

「でも、せっかく係長がいるんですから、わざわざリスク背負ってヤバい橋渡る必要はないでしょ」

理屈の筋は通っている。理解もできる。しかし、納得はしない。

この就職難のご時世にコネもなく入社した阿部だ、十年ほど前のバブル入社組の連中に比べるとはるかに優秀で、なにをやらせてもそつなくこなす。どうしても一人で先方と交渉しなければならない状況になったら、それなりに苦労はしながらも辻褄《つじつま》は合わせるだろう。

もっとも、そつがないぶん、無理もしない。たとえ周囲とぶつかってでも強引に物事を進めるといったことがない。出世にはあまり関心がないようだし、営業成績もノルマを超えればそれでいいと割り切って、そこそこの数字で切り上げる。よく言えば協調性があり、バランス感覚に優れているということになる。悪く言うなら、八方美人で、ぜったいにこれをやり遂げるんだという強い意志に欠ける。

勇輝と、似ている。

「阿部、やっぱり一人で行って、喧嘩してくるか」

やつあたりみたいなものだ、と自分でも思う。

「こっちに百パーセントの非があるわけじゃないんだから、思いきって言いたいこと言ってこいよ。それで帰ってきたら、おまえ、営業二課のヒーローだぞ」

冗談だと思ったのだろう、阿部はただ困ったように笑うだけだった。

修一も――「なんてな」と笑って、コートを羽織った。

地下鉄の車内は込み合っていた。

阿部と並んで吊革《つりかわ》を握った姿が、窓ガラスに映り込む。修一は同世代の中ではごくふつうの背丈だったが、百八十センチ近い阿部と見比べると、ふた回りは小さく見える。年相応に雰囲気がくたびれてもいる。もうおじさんだもんな、と認めた。

勇輝はまだ父親よりも小柄だが、いずれ――あと二、三年のうちに抜くだろう。親に対して言葉を荒らげたり、暴力をふるったりするようになるのだろうか。そうなってほしいとはもちろん思わないが、そういう時期がまったくないというのも寂しいかもしれない。

「なあ、さっきの話なんだけど」

窓ガラスの阿部に、言った。

阿部も、窓に映り込む修一に、なんですか？　と目で応えた。

「もっとエゴを出してもかまわないんだぞ。積極的なミスならいくらでもフォローしてやるし、たまには一人で突っ走ってもいいんだ。なんか、阿部を見てると、ちょっと冒険心や自己主張が弱いんじゃないかって思うんだけど」

だが、阿部はあっさりと言った。

「そんなことしたら嫌われちゃうじゃないですか」

返す言葉に詰まった。少し考えて、「敵のいない奴《やつ》には味方もいないっていうぞ」と言ってみたが、阿部はこれにも乗ってこなかった。

「敵とか味方とかって、あんまり考えたことないんですけどね。戦争してるわけじゃないんだし。ぼくらとかの世代って、係長とかの世代とは感覚が違うんだと思いますよ。勝ち負けってべつにどうでもいいっていうか、負けるのは嫌だけど、勝ってもたかが知れてるじゃんっていうか。いま、全体的にだらーっと負けてるじゃないですか、ニッポン。みんな負けてるんだから、一人でセコく勝ちを狙《ねら》ってもしょうがないんじゃないですかね」

「……若い奴らは、みんなそうなのかな」

「だと思いますよ。勝った負けたが通用したのって、バブルの頃までじゃないんですか？」

修一は黙って吊革を握り直した。

十数年前——阿部と同じ若手社員だった頃の、小さなできごとを思いだした。なにかの酒席で、修一たち若手が揃《そろ》って部長にからまれたことがある。昭和一桁《ひとけた》生まれの、父親と同世代の部長は、修一たちの仕事ぶりを「格好ばかりつけやがって」となじり、「仕事は砂や泥をいくら嚙《か》んだかで決まるんだ」と自分の若い頃の苦労話をしつこく繰り返して、「おまえら新人類は、だからだめなんだ」と勝手に結論づけたのだった。

「新人類」を部長が口にすると、「シンジンルイ」と片仮名で聞こえた。いかにも憎々しげな、とがった発音だった。部長は、家が貧しくて大学に進学できなかった。お洒落《しゃれ》ないでたちで街を歩く大学生が嫌いで、そんな連中を見かけると露骨に顔をしかめ、決まってこう吐き捨てるのだ――「親の苦労も知らないで」。

部長の説教から解放されたあと、若手だけでもう一軒飲みに行った。根性だの夜討ち朝駆けだの土下座だの腹芸だのといった言葉を耳の奥からこそげ落としたくて、にぎやかな店を選んだ。「世代が違うんだよな」と誰かが言った。「時代が違うんだから」とも、別の誰かが言った。「高度成長期のやり方が通用するわけないだろ」と笑い飛ばしたのは、修一だった。

黙りこくった修一に、阿部は遠慮がちに言った。

「すみません、なんか水差すようなこと言っちゃって」

「だいじょうぶだよ、そんなので嫌ったりはしないから」

「キツいっすねえ」と笑い、すぐに真顔に戻ってつづける。

「ぼくら、運が悪いんだと思いますよ」

窓ガラスの中で、まなざしはぼんやりと遠くに向けられていた。

「中学の頃はいじめの時代だったし、高校生の頃からは、もうずうっと不況でしょ。阪神大震災とかオウムとか、ろくなことないし、なんか必死こいて勝ちにいく元気があんまりないっていうか……うらやましいですよ、係長とかの世代って。バブルの頃に若手バリバリでしょ、仕事しててもやり甲斐《がい》があるっていうか、楽しかったんだろうなあ、って……ほんと、運が悪いですよね、ぼくら」

運という言葉が、甘えや責任逃れには聞こえなかった。不思議なくらいそれはすんなりと耳になじんで、胸の底に染《し》み込んでいった。

修一は窓の中の阿部から隣に立つ阿部に目を移し、顎《あご》を軽く持ち上げて苦笑いを送った。

「俺たちだって同じだよ。土地の値段もローンの利率もばかみたいに高い頃にマンションを買って、子供の進学に金がかかる頃になったらリストラなんだもんな」

「……ですよね」

修一たちにからんだ部長は、高卒入社組からただ一人平取締役まで出世したが、バブルの頃に台湾につくった現地工場が業績悪化で閉鎖された責任をとらされて、二年前に退任した。

「運のいい奴なんて誰もいないんだよ、世の中」

修一の言葉に、阿部は「ですね」と素直にうなずいた。

地下鉄の駅を出た交差点で、阿部が「手土産《てみやげ》はどうします？」と訊いてきた。

「買っとくか、いちおう」

「じゃあ、あそこのケーキ屋で買ってきます。二千円ぐらいでいいですかね」

「三千円だな」

指を三本立てて「喧嘩してもしょうがないし」と笑うと、阿部は「みんな仲良く不況に沈んでいきましょう、って」と笑い返して、ケーキ屋に入っていった。

歩道に残された修一は、なにげなく通りの向こう側に目をやった。両脇《わき》に敷地ぎりぎりまでビルが迫った小さな煙草屋《たばこや》に、宝くじのステッカーが貼《は》ってあった。

得意先の会社には毎週一度は出向いているのに、いままでは気に留めることもなく通り過ぎていた。繁華街というわけではない、マンションとオフィスビルと古びた商店が交ざり合った一角だ。こんな場所でもくじを買うひとがいるんだなと思うと、不意にせつなさがこみあげてきた。

父親はけっきょく、宝くじで百万円を当てることはなかった。だから、どこにも行かず、生まれ育った町で一生を終えた。

父親は宝くじを買うとき、なにを考えていたのだろう。数えきれないほどのはずれくじを、どんな思いで捨てていたのだろう。

煙草屋から視線をはずし、ケーキ屋のショーウインドウから店内を覗《のぞ》き込んだ。先客の主婦グループが商品ケースの前に陣取って、阿部は店員に声をかけそびれているようだった。

通りを渡る横断歩道が青になり、『通りゃんせ』のメロディーが聞こえてきた。

修一は、「回れ右」を練習するこどものようにつま先を見つめて踵《きびす》を返し、息をひとつついて、ゆっくりと歩きだした。

6

道路からマンションを見上げ、我が家の窓の明かりが点《つ》いていないのを確かめた。

おまえの勘は「当たり」だったよ、と淳子の顔を思い浮かべて笑った。

夜八時——塾のある日なら、帰っていなくて当然の時刻。淳子の嘘《うそ》に付き合う覚悟は、昼間のうちに決めていた。帰ってきた勇輝を「お帰り、塾も大変だな」と迎える、そのときの顔と声から皮肉を消せるかどうか、自信はないけれど。

もしかしたら、淳子はもうずっと以前から、勇輝の友人関係のことを察していたのかもしれない。勇輝が淳子に相談したこともあったのかもしれない。つまはじきにされたことは恨《うら》まない。勇輝にとってこの父親は「はずれ」で、淳子にとってこの夫は「はずれ」なのか、それが少し気にかかるだけで。

リビングで、コードレス電話の受話器を取った。短縮ボタンを押して、ふるさとの家に電話をつなぐ。「はい、もしもし」と応《こた》える母親の声の後ろで、テレビの音が、台詞《せりふ》もはっきり聞き取れるほどのボリュームで流れていた。母親と電話で話すのは、ひと月に一度あるかどうか。そのたびに、テレビの音が大きくなっていくような気がする。

母親は電話の主が修一だと知ると、用件を尋ねもせず、修一たちが年末に帰省しなかったせいで正月の準備がいかに大変だったかを叱《しか》る口調で並べ立てた。

いつものことだ。話が一段落つくまでは、よけいな弁解や反論はせずに愚痴を受け止めることにしている。正月の寂しさを口に出さないうちは一人暮らしをまだつづけられるだろうな、とも推《お》し量《はか》る。もしも母親が弱音しか吐かなくなったら――その先は、まだ決めていない。
　五、六分たって、ようやく話が途切れた。母親が次の愚痴を探す前に、用件を切り出した。
「お父さん、宝くじ買《こ》うとったよね」

「はあ？」

「ぼくらがこどもの頃、よう買うとったじゃろ」

　少し間をおいて、母親は「どうしたん、そげなこと急に言いだして」と笑った。

「急に思いだしたんよ」と修一も笑って、話をつづけた。

「お父さんが当てた賞金って、どれくらいじゃった？」

「賞金いうほどのもんは当たりゃあせんかったよ、千円やらそこらのが、十ぺんも当たっとったらええほう違うかなあ」

「……大損やね」

「ほんまになあ、同じ買うんでも、当てるひとは通し番号のセットで買うのに、お父さんは一枚しか買わんのじゃけん。最初から当てる気はありゃせんのよ」

「一枚しか買うとらんかったん？」

「お宮さんでおみくじ引くようなもんじゃ、言うてな」

「ほんまに、一枚だけ？」

念を押す修一に、母親は「毎週毎週、何十枚も買うとったら、小遣いがなんぼあっても足りんが」とまた笑った。懐《なつ》かしさの溶けた笑い声だった。

修一は受話器を耳にあてたまま、ソファーに倒れ込むように寝ころんだ。若い頃の父親の顔を暗がりに浮かべて、百万円なんて当たるわけないじゃないか、と語りかけた。どこにも行けっこないじゃないかよ、とあきれた。

片手でスーツの内ポケットを探り、財布から買ったばかりのくじを抜き取った。一等賞金四千万円で、前後賞が一千万円の自治宝くじだった。二百円で、一枚だけ買った。

当たるわけがない。だが、ぜったいに当たらないわけでもない。期待とは呼ばない。夢というのとも、たぶん違うだろう。それでも、来週には九分九厘《りん》「はずれ」になるはずの紙切れを財布に入れたとき、胸の奥がじんと温《ぬく》もった。得意先のクレーム処理はずいぶん難航したが、ふだんより粘り強く対応できたような、気がする。

「一枚しか買うとらんかったんか、お父さん」

修一はもう一度母親に——ほんとうは父親に、言った。いまなら父親と長い話ができるかもしれない、と思った。

「なあ、お母さん。もし百万円当たったら、お父さん、どこかに行きたかったんよ。こどもの頃、聞いた」

「そげな話、うちにはせんかったで」

「どこに行きたかったんじゃろうな……」

「みんなで泊まりがけで温泉に行こうか、言うとったことはあったけどなあ」

母親は気のない声で答えて、「まあ、そげなことはええんじゃけどな、ちょっと修一、あんたなあ……」と、また愚痴に戻っていった。今度は、姉の姑《しゅうとめ》の悪口だった。

修一はソファーに起きあがった。相槌《あいづち》の声が、ほんの少しだけまるくなった。

夕食はゆうべのカレーの残りを食べた。一晩寝かせたおかげで水っぽさはだいぶなくなり、辛さにもコクが出てきた。

一杯目をたいらげて、お代わりをしようとしたが、二杯目をよそうと勇輝のぶんがなくなってしまう。

市販のルーを使い、具にも凝《こ》ったところはないが、インスタントコーヒーの粉を隠し味にふりかけた、自慢の特製カレーだ。「そんなのおいしいの？」と勇輝は驚くだろう。信じないだろう。食べてみればわかる。食べさせてやりたい。

二日目のほうがカレーは旨《うま》いのだ、ほんとうに。

夜の街を自転車で飛ばした。淳子がふだん買い物に使っている、いわゆるママチャリ――ハンドルカバー付き。格好は良くないが、とにかく息を切らして走った。勇輝が心配で、というわけではない。悪い仲間から連れ戻そうというのとも違う。見つけても声はかけないかもしれない。物陰からそっと盗み見てひきあげるだけかもしれない。ただ、リビングで帰りを待つだけの父親ではいたくなかった。

最初は、ゆうべの電話で警官が話していたコンビニに向かった。次に、駅前のハンバーガーショップ。学校のほうに引き返す途中で、公園を覗いてみた。学校とレンタルビデオ店、再び駅前に戻って、ドーナッツショップとゲームセンターと本屋とコンビニを二軒。

どこにも、勇輝はいなかった。思い当たる場所は、あとは塾しかない。まさかとは思いながら、線路沿いの道をしばらく進み、塾の入っている雑居ビルの前で自転車を停めた。夜九時を過ぎているのに、塾のある四階の窓には煌々《こうこう》と明かりがともっていた。中の様子は、道路からはなにもわからない。

線路に面した窓に、大きく電話番号が書いてある。修一は携帯電話を取り出した。

事務室に、電話がつながる。「お電話ありがとうございます、入塾のお問い合わせでしょうか？」と、いかにもマニュアルめいた若い男の声をかわして、授業日のローテーションを訊《き》いた。

中一の基礎クラスは――「月曜と木曜ですが」と男は言った。

「火曜日と金曜日じゃないんですか？」

「あ、それ、十二月までなんです。一月からは三年生の生徒さんが受験の追い込みに入るんで授業が増えるんですよ、それで、教室の都合で一年生の基礎クラスには曜日を移ってもらったんです」

「じゃあ……いま、授業中ですか？」

「ええ。あと二、三分で終わりますが」

街じゅう走り回った疲れがいっぺんにのしかかって、その場にしゃがみこんでしまいそうになった。ため息と苦笑いが頬からいっしょに漏れる。考えすぎだってば、とあきれる淳子の顔が浮かんだ。

額の生え際《ぎわ》ににじんだ汗を手の甲で拭《ぬぐ》っていたら、ビルのエントランスが急に騒がしくなった。授業を終えた生徒たちが外に出てきたのだ。

修一は自転車を漕《こ》いで、少し離れた暗がりで停めた。

生徒たちは自転車を取りにビルの裏に回ったり立ち話をしたりして、なかなか帰ろうとしない。教室から出てくる生徒の流れも途切れず、無意味な大声をあげたり、もっと無意味に追いかけっこをしたりして、修一にも覚えがある、昼休みの学校の廊下のようなにぎわいだった。

そのなかに、勇輝も、いた。

ダッフルコートを着た女の子と二人でしゃべっていた。笑っている。照れくさそうに、だが淳子や修一に見せるときとは違う、頬をゆるめきらない笑顔だった。べつにうっとうしそうでもないのに、何度も前髪を掻《か》き上げる。ちょっとすねたようにズボンのポケットに手を入れて、斜にかまえて肩を揺らす。なにを話しているかは聞こえないが、きっと、おとなの声だ。

女の子は、じゃあねバイバイ、というふうに手を振って、小走りに修一のほうに向かってきた。

まずい——と思う間もなく、彼女を見送る勇輝と目が合った。

逃げるのは、やめた。勇輝も驚いた顔で、まっすぐ修一を見つめていた。女の子が修一の脇《わき》を通り過ぎる。ショートヘアにつけたカチューシャが似合う、目のくりっとした女の子だった。

一人になった勇輝は、エントランスの階段に座って話していた男子のグループに、こっち来いよ、と手招かれた。しぐさも、派手な色使いのサテンのジャンパーを羽織ったいでたちも、あまりまじめそうな連中ではない。竹内という同級生も、そこにいるのかもしれない。

勇輝は、気まずそうに修一から目をそらし、階段のほうを振り向いた。さっきまでと同じようにワルぶったポーズをつけていても、親にはわかる、根っこのところで媚《こ》びて、もっと根っこを探ればおびえて、横顔がヘヘッと薄く笑う。

修一は自転車のハンドルを握りしめた。がんばれ、と唇を結ぶ。

勇輝は、連中と二言三言、言葉をかわした。

「なんでだよお」連中の一人が、粘つくような声を張り上げた。「いいじゃんよ、行こうぜ」

ごめんごめん、と片手拝みを返した勇輝は、修一のほうに駆け出しながら、顔だけ彼らに残して言った。

「悪い、オヤジと帰るから！」

初めて聞いた。

一瞬、それが自分のことだとはわからなかった。

勇輝は修一のすぐそばまで来て、立ち止まった。うつむいて、ちらりと上目遣いで修一を見て、くすぐったそうにもぞもぞして、またうつむく。

修一は自転車を降りて、「帰ろう」と言った。

勇輝は黙ってうなずいた。

「カレー、残ってるぞ」

返事はなかった。修一もそれ以上はなにも言わず、自転車を押して歩きだした。わざとゆっくりと、勇輝に先を歩かせるようにした。

道路に伸びる影は、だから、息子の背丈が父親を少しだけ越していた。

# パンドラ

# 1

犯罪——という言葉を口にしたとき、背筋がぞくっとした。

追いかけて、情けなさがこみあげてくる。自分の娘にそんなことを言わなければならない日が来るなど、夢にも思っていなかった。

「わかってるな」

声が揺れた。「おまえのやったことは犯罪なんだぞ」と繰り返して言うと、奈穂美《なほみ》は黙ってうなずいた。

孝夫《たかお》は息を大きく吸い込んで、奈穂美をあらためてにらみつけた。中学二年生だ。十四歳の誕生日を、先月、十月に迎えた。やっていいことと悪いことの区別ぐらいついている。優等生と呼ばれるほどではないが、いままで特に問題を起こしたこともない。信じていた。だまされていたのだ、と思い知らされた。

奈穂美は万引きで補導された。駅前のコンビニエンスストアで、果汁入りのグミキャンディーとミントタブレットと脂取《あぶらと》りシートを盗《と》って、カセットテープを棚からバッグの中に落としたところを店員に見つかったのだ。警察と学校にも通報されたが、初めてのことだし反省もしているから、と記録に残るような処分は下されなかった。それはそれで、いい。正直に言えば、ほっとしている。

だが、どうしても許せないことがある。許す許さないというより、認めたくない、なにがあっても。

「いっしょにいた奴《やつ》は、友だちなのか」

詰問《きつもん》の口調だったが、本音では答えを聞かずにすませたい問いかけでもあった。

「先輩なのよね？　中学の」と妻の陽子《ようこ》がとりなすように言った。孝夫はにらむ視線を奈穂美から陽子に移す。よけいなことを言うな、と眉《まゆ》を寄せる。

すでに陽子から電話で聞いていた。奈穂美は男と二人組で万引きをしていたのだった。男は以前にも万引きで何度か捕まったことがあり、学校から連絡を受けた陽子がコンビニに駆けつける前に警察に連行されていた。

孝夫はまた奈穂美に目を移した。奈穂美はさっきからうつむいたきり、ダイニングテーブルの上に出した手の甲をぼんやりと見つめながら、「ごめんなさい」以外の言葉は口にしていない。

「わけのわからない奴と付き合うな」

返事はなかった。陽子が孝夫を見る。もう今夜はいいじゃない、と目配《めくば》せをする。時刻は夜十一時を過ぎていて、4LDKのマンションの壁は薄い。声を荒らげると、晃司《こうじ》が起きてくるかもしれない。小学四年生の息子に聞かせられるような話ではない。

「遊ぶなら、学校の友だちと遊びなさい。いいな、そういう悪い友だちといっしょにいたら、おまえまで不良になっちゃうぞ」

つまらないことを、つまらない言い方で伝えた。テレビドラマに出てくる、ものわかりの悪い父親の姿が、ふと浮かぶ。そんなふうにだけはなりたくないと、若い頃からずっと、四十歳のいまも、思っているのだが。

奈穂美は返事の代わりに、長く尾をひくため息をついた。あきれた、いや、あきらめたような息のつき方だった。かすかに笑ったようにも、孝夫には見えた。

「奈穂美、お父さんの言ってることわかってるんだな」

「ごめんなさい」

「……謝るのはもういいから、わかったんだな？」

「ごめんなさい」

ひらべったい声だった。

「お父さんのほうを見て言えよ、そういうのは」

奈穂美は顔を上げず、また「ごめんなさい」と言った。

「もう寝なさい、明日起きられなくなっちゃうから」

陽子は奈穂美に声をかけ、もうやめて、とさっきより強く孝夫に目配せした。

孝夫は椅子《いす》の背に体を預け、灰皿の縁にかけておいた煙草《たばこ》をくわえて、フィルターを糸切り歯で強く嚙《か》んだ。三年越しの禁煙はまだつづいている。煙草でも吸わなきゃいられるか、と半ば自棄《やけ》になって帰宅途中に買ってはみたものの、ライターを買い忘れていた。いらだちを紛らすだけの、赤ん坊のおしゃぶりと同じだ。

奈穂美はゆっくりと席を立ち、黙ってリビングのドアを開けた。

「おやすみ」

孝夫はせいいっぱいまるい声をつくって言ったが、奈穂美はそれに応《こた》えることなく、振り向きもせず、部屋を出ていった。

「携帯に電話して悪かった?」

寝室の明かりを消す前に陽子が訊《き》いた。

ベッドに仰向《あおむ》けに寝ころんだ孝夫は、黙って天井をにらみつける。くわえた煙草の先が、息づかいに合わせてかすかに揺らぐ。

「もう頭の中がパニックになっちゃって、ちょっとね、一人で胸に収めておける話じゃないし」

わかるよ、と孝夫は喉《のど》の奥で言った。

「わたし、相手の名前、あなたに言ったっけ？」

聞いていた。本名も、住んでいる団地の名前も、それから、奈穂美が「ヒデくん」と呼んでいることも、万引きが見つかったときにその男をかばって、自分が無理やり誘ったんだと言い張った、ということも。

「スケボーって、知ってる？　それのプロ目指してるんだって。高校も中退して、けっこう本気なのね」

「ただの口実だろ、そんなの」

「まあ、フリーターなんだろうね」

「アルバイトでもなんでも、まともに働いてる奴が万引きなんかするか」

顎《あご》に力を入れると、糸切り歯に挟まれた煙草のフィルターがきしきしと鳴った。

「明日の朝は、奈穂美といっしょに飯を食ってから会社に行くよ」

どれだけの効果があるかはわからない。ただ、父親として知らん顔はできない。

「とにかく、明日、奈穂美に訊いてみるわ」と陽子はつぶやくように言った。

「ああ、頼むよ」

「万が一だけど、妊娠のことだって、あるから……」

孝夫は煙草をサイドテーブルに置いた。壁のほうに体を向けて、背中を丸める。

やはり、陽子が電話をかけてきたことを恨《うら》みたい。聞かずにいたかった。なにも知らなければ、目に映る奈穂美はいまもこどものままでいられた。

ヒデのフリースジャケットのポケットには、万引きしたコンドームが入っていたのだという。


翌朝、孝夫がリビングに入ると、トーストを頰張《ほおば》った晃司が「あれ？　お父さん、今日会社休みなの？」と訊いてきた。

「なに言ってんだ、火曜日だろ。今日はちょっと遅く会社に行くんだよ」

「えーっ、マジ、今日火曜日だっけ？　じゃあ図工あるじゃん」

晃司は口の中のパンをあわてて牛乳で飲みくだした。絵の具セットの準備を忘れていたのだろう。いつものことだ。そそっかしく、そのくせのんきなところもある。

「時間割ゆうべのうちに見ときなさいって言ったでしょ」キッチンから陽子が早口に

言う。「朝になってあわてて教科書なんか入れるから、忘れ物しちゃうのよ」

ヘヘッと笑う晃司に、孝夫も、ほらまた叱《しか》られた、と笑ってやった。小学四年生――奈穂美が初潮を迎えた年だ。奈穂美のときと比べて、はっきりと差がある、晃司は幼い。ふだんはいらだったりあきれたりすることも多いが、いまはその幼さが救いだった。

孝夫はダイニングテーブルの自分の席についた。隣が陽子、正面に晃司、そして左斜め前に――。

「おう、おはよう」

寝室で練習したとおり、軽く声をかけた。

「おはよう」

返事は来たが、奈穂美は顔を上げない。肩が急にこわばったようにも見えた。

陽子がキッチンから出てきて、ハムエッグの皿を孝夫の前に置いた。そっと目配せして、含み笑いでうなずく。なにを伝えたいのかわからない。

オーブントースターのタイマーが鳴った。孝夫は焼き上がったパンを取り出すしぐさに紛らせて、「お姉ちゃんは、実力テスト、そろそろだろう」と言った。

「来週」

低い声で、まだうつむいたまま。

「そっか……勉強、がんばらないとな」

今度は返事もなかった。

話の接《つ》ぎ穂《ほ》を失った孝夫にかまわず、奈穂美は半切れのトーストを食べ終えて、ミニペットボトルを手にとった。二学期が始まった頃からよく飲んでいる。名前を何度聞いても孝夫には覚えられないのだが、かすかにレモンの香りのついた天然水に、唐辛子のエキスが入っている。ダイエットに効果があるのだという。

べつに太ってなどいない。最近急に神経質になったにきびも、たまに顎に一つ二つできる程度だし、肩よりも長く伸びると跳ねてしまう癖っ毛も、そのために小遣いをはたいて美容院と同じトリートメントシャンプーを買うまでのこともない。

そういう年頃なんだなと一人で納得していた昨日までを振り返ると、コーヒーが急に苦くなる。

ゆうべはなかなか眠れなかった。お手本を探した。父親として、こういうときはどんな態度や行動をとるべきか。ドラマや映画やマンガや小説に出てきた父親たちの姿を思い浮かべ、どこにも生身の人間がいないことに気づいて、そういうところがだめなんだよ、と布団《ふとん》の中で頭をかきむしったのだった。

奈穂美はペットボトルに直接口をつけて飲んでいく。すぼめた唇の厚ぼったさは、母親に似ている。全体的には父親似の顔立ちだが、そこだけは陽子から受け継いだ。顎を上げ、あらわになった喉の筋がゆっくりと動く。肌の白さは喉からブラウスの襟元にまでつづき、肩の線が始まるかどうかのところの曲線が、こんなふうに思いたくはないが、なまめかしい。ブラジャーのレース模様が透ける。ブラウスの襟ボタンを留めてほしい。もう朝夕は息が白くなるのだから、ブレザーの下にベストかセーターを着て、胸を隠してほしい。

孝夫は居心地の悪さを腰と背中に感じながら、咳払《せきばら》いを繰り返した。なにを話せばいいかわからない。黙っていると息が詰まる。いままでと違って、というより、しゃべることも放っておくことも平気だったいままでのほうがおかしかったんじゃないか、とも思う。

「あのさあ」

ペットボトルをテーブルに戻して、奈穂美が言った。孝夫をまっすぐに、強いまなざしで見据えていた。

「言いたいことがあるんだったら、言ってくんない？」

「べつに、お父さん、なにもないけど……」

「だったら、ひとのことじろじろ見ないで」

「見てないよ」

「見てたじゃん、すっげえ気持ち悪い」

「奈穂ちゃん」と陽子が割って入るのをさえぎって、奈穂美が椅子を引く音が響いた。

「ごちそうさま、行ってきます」

呼び止めることができなかった。

気持ち悪い――耳ではなく、胸に刺さった。ショックだった。ひどい言葉をぶつけられたことではない。胸の内を見透かされたことが、だ。

娘を、女として見ていた。父親ではなく、男のまなざしになっていた。

「あの子、寝起きが悪いから……」

弁解するように言う陽子の声が、耳をすり抜ける。玄関のドアが開くガチャリという音のほうを聞いていた。ドアは静かに閉じた。だから、奈穂美の感情のありかが、つかめない。

「お母さん、パンもう一枚焼いて」

晃司が、口の回りをマーガリンで汚して言った。マンガとゲームに夢中の息子は、あまりにも幼すぎる。

「朝っぱらから、がつがつ食べるなよ」

舌打ち交じりに言った。陽子が咎《とが》めるようにこっちを見たが、気づかないふりをした。

晃司はけろっとした顔で、ブルーベリージャムの蓋《ふた》を開けている。

男の子のほうが楽でいい。子供なんて、親から見てものたりないほうが、ずっといい。孝夫はため息をトーストで胸に押し戻し、「今夜は残業で遅くなるから」と言った。

## 2

ニュータウンの駅からの終バスは午後十時半。そのぎりぎりの時間を見計らって、仕事を切り上げた。会社を出るとき、胃薬を服《の》んだ。デスクの上の灰皿には、フィルターのひしゃげた煙草が何本も残された。禁煙は、まだつづいている。

夜九時を過ぎているのに、郊外へ向かう電車の中には高校生らしい少女がたくさんいた。肌を黒く焼き、髪を脱色し、底の厚いサンダルを履いて、あたりかまわず大声でしゃべり、笑い、スナックを頬張り、携帯電話をかけたり受けたりしている。

孝夫は、吊革《つりかわ》につかまった両腕に顔を隠しながら彼女たちを盗み見た。短いスカートに隠された腰の線を目でなぞる。ウエストのくびれや、胸のふくらみを、瞬《まばた》きで切り取っていく。

援助交際という言葉ぐらい知っている。その前にはブルセラという言葉が流行《はや》っていたことも。

ため息が漏れる。高校生なんだから、俺たちの頃にもそういう奴《やつ》らはいたじゃないか、と自分に言い聞かせる。

奈穂美とは違う。

奈穂美はまだ中学生で、スカートは校則どおり膝丈《ひざたけ》で、化粧をしたことも携帯電話やPHSをしつこく欲しがったこともなく、晃司とプロレスごっこをするのが好きで、しょっちゅう陽子に「少しは女の子らしくしなさい」と小言を言われている。

だから、だいじょうぶ。心配は要らない。ワルぶったことに憧《あこが》れる年頃だ。不良じみた年上の男に惹《ひ》かれてしまう時期だ。だいいち、ヒデという男が、奈穂美のようなネンネの中学生を女として見るはずがないじゃないか。あのコンドームは、きっと不良に似合いの女を抱くときのためのもので、かわいそうに、奈穂美はふられたわけだ……。

唇を白く塗った少女が、「うっそ、ちょーむかつくじゃん、そんなの」と携帯電話に向かって声を張り上げた。小柄な少女だった。顔立ちも幼かった。だが、彼女は高校生なのだ、と決めた。

吊革を握り直す。思いのほか強く握りしめていたのだろう、指がこわばっていて、うまく伸ばせなかった。掌《てのひら》が、汗でじっとり濡《ぬ》れていた。

リビングにいるのは陽子だけだった。晃司は九時過ぎに、奈穂美はついさっき——十一時前に自分の部屋に入ったのだという。

「どうだった」

声をひそめて訊いた。

陽子は口に運びかけた紅茶のカップをソーサーに戻して、息だけの声で「先月から付き合ってるんだって」と言った。

「付き合ってるって、どういうふうに」

「最初はファンだったんだって。スケボーの練習してるのを友だちといっしょに見に行ってて、憧れてて、そうしたら向こうから声をかけられるようになって……」

「そんなのはいいんだよ、べつに」

声がとがった。ネクタイを乱暴な手つきでゆるめながら、言葉を探した。時代がかった言い方しか見つからなかった。あとは口にしたくない言葉ばかりだった。

「プラトニックなのか」

陽子は目を伏せて短く笑い、静かにかぶりを振った。孝夫はうめくように喉《のど》の奥を鳴らし、ネクタイをむしり取る。

「自分で、そう言ったのか」

「教えてくれなかった。そんなの言う必要ないじゃん、って」

「だったら、なんで……」

「でも、わかるわよ、なんとなく」

「勝手におまえが思いこんでるだけなんじゃないのか？」

陽子は顔を上げた。寂しそうに微笑《ほほえ》んでいた。

「悪いけど、わかるのよ、母親だからね、そういうのは」

すべてを受け入れた口調だった。「あの子、もうこどもじゃないわ」とつづけ、紅茶を一口啜《すす》って「ぬるい」と顔をしかめる。

「いいのか、おまえはそれで」

ズボンの膝を鷲摑《わしづか》みにして言った。殴り飛ばして、できるなら殺してやりたい、顔も知らないその男を。

「いいわけないじゃない、でも、もう、すんだこと言ってもしょうがないんだし」

「なにも言わなかったのか」

「そんなことないわよ。あんたは中学生なんだし、ヒデくんだって未成年なんだから、おとなとは違うんだから、これからはぜったいに責任のとれないような付き合い方をしちゃだめよ、って。淫行《いんこう》条例っていうのがあるでしょ、そのこともちゃんと言ったし、奈穂美もわかってるって、あの子だってばかじゃないんだから」

「甘すぎるだろう、それじゃあ」

「だったら、どう言えばいいわけ？」

厭《いや》な言い方になる。自分でもわかっていたが、言わずにはいられない。

「二度と会わせるな」

「そんなことしたら、よけいまずいわよ。とにかく真剣に付き合ってるって言ってるんだから」

「真剣だから困るんだろう、いいか、奈穂美は中学生だぞ、まだ義務教育なんだぞ、親がちゃんと見てやらないと……それは親の義務なんだよ、責任なんだ」

「わかるわよ、わかるけど、そんなの無理でしょう？　会うなって言われて会わないなんて、小学生だってそこまで親の言いなりにはならないわよ」

声がしだいに高くなってきたことに気づいたのだろう、陽子は気持ちを静めるように肩をゆっくりと上下させた。

孝夫も黙って、背広のポケットから煙草《たばこ》を取り出した。

しばらく沈黙がつづいたあと、陽子は「じゃあ」と言った。「あなたがそれ言ってよ、奈穂美、まだ起きてると思うから」

孝夫を見つめるまなざしは、いつのまにか憮然《ぶぜん》としたものに変わっていた。

「呼んでこようか？」

「いや……いい。俺、風呂《ふろ》に入るよ」

「どっちにしても、信じるしかないわよ、あの子のこと」

孝夫は返事の代わりに、煙草を強く、ちぎれてもいいつもりで嚙《か》んだ。

話している間ずっと、紅茶で濡れた陽子の唇を見るともなく見つめていた。知り合ったとき——十六年前、初対面でいちばん印象に残ったのは、その唇だ。なにか男好きのしそうな、少し品のない唇だとも、じつは思っていたのだった。

陽子とは、スキー場で知り合った。東京に帰ってからも気の合う友人として何度か二人で食事や映画に出かけ、季節が冬から春に変わったころ、初めてのセックスをした。

孝夫にとっては、それが二度目の体験だった。一歳年下の陽子も初めてではなかった。おそらく、一度や二度の話ではなく。

ぎごちない孝夫の愛撫《あいぶ》に飽き足らなかったのか、陽子は自分から動いた。ごくあたりまえのように孝夫の全身を指と舌でまさぐり、性器を口に含んだ。快感というより困惑に包まれて、孝夫はそのまま射精してしまったのだった。

孝夫は二十四歳で、陽子は二十三歳。バージンにこだわるのは無意味で非現実的だと頭ではわかっていたし、逆に二十四歳で二度目という体験の乏しさのほうが恥ずかしいのかもしれないとも思ったが、ベッドから出て服を着るとき、なんともいえない割り切れなさを感じた。

翌年、結婚をした。陽子の性格は申しぶんなかった。優しく、明るく、おおらかなひとだった。彼女となら幸せな楽しい家庭を築けるだろうと信じ、その信頼はいままで一度も裏切られることはなかった。

陽子と結婚してよかった。心から思う。初めてベッドを共にした夜の複雑な気持ちも、もう何年も思いださなかった。

だが、忘れてしまったわけではない。

風呂からあがると、陽子はもうベッドに入っていた。壁のほうを向いて眠る陽子の背中を、孝夫はぼんやりと見つめる。結婚して十五年、孝夫の髪がずいぶん薄くなったように、陽子もずいぶん太った。奈穂美や晃司がからかって呼ぶ「おばさん」という言葉も、もうただの悪口というわけではなくなった。

それでも、陽子は、まだ、女だ。首筋の白さや肩の線のまるみが、寝返りといっしょにゆらりと動く息のぬくみが、明け方にときどき漏らす寝言ともつかないくぐもった声が、女だ。

結婚前に付き合っていた相手は、どんな男で、何人いて、何度セックスをしたのか。なにも訊《き》いていない。これからも、たぶん死ぬまで訊かないつもりだ。いくら夫婦でも、出会う以前の人生に踏み込む権利はないし、勇気もない。

孝夫は自分のベッドにもぐり込み、掛け布団《ぶとん》を鼻まで引き上げて、目をつぶる。

訊くとしたら、ひとつだけ。

陽子、おまえは何歳のときに初めてセックスしたんだ——？

## 3

水曜日、木曜日と、奈穂美の様子に変化はなかった。朝はいつもどおりの時間に家を出て、帰りが極端に遅くなることはない。塾にもきちんと通っているようだし、服装も髪型も、陽子や晃司と接するときの態度も、いままでと同じ。

もっとも、孝夫はそれを自分で確かめたわけではない。もともとすれ違いの生活だった。朝は子供部屋の目覚まし時計が鳴る前に会社に出かけるし、残業を早めに切り上げても、家に帰り着くときには子供たちの夕食は終わっている。

今週ぐらいは早く帰ろうと思っていたが、こういうときに限って急ぎの仕事が立て込んだ。ニュータウンの駅からバスターミナルまで走って終バスに飛び乗りながら、申し訳なさと、ほっとした気分を交互に感じる。

たとえ夕食に間に合うように帰っても、なにを話しかけていいかわからないし、奈穂美も話しかけてはこないだろう。目も向けないかもしれない。「考えすぎよ」と陽子には笑われる。だが、あの子は二度と俺には心を開かないんじゃないかという気がしてならない。

「そういうの考えすぎだってば」

木曜日の夜、寝室で陽子は念を押すように言った。ドレッサーに向かいながら「今夜だって、お父さん最近遅いねって、ぜんぜんふつうにしゃべってたわよ」とつづけ、鏡に映る孝夫を見る。

「俺が目の前にいないからだよ」

孝夫はベッドの縁に腰かけて言った。

「……まあ、でも、週末はだいじょうぶなんでしょ？」

黙ってうなずいた。土日は二日とも空いている。珍しく接待ゴルフの声がかからなかった。部下の結婚式もない。ひさしぶりの二日つづきの休みが――重い。もしも、たとえばそりの合わない上司の引っ越しの手伝いを頼まれたら、どうしただろう。

「でも、ほんと、いままでとちっとも変わらないわよ、奈穂美。万引きだなんてね、そんなの嘘《うそ》だったんじゃないかって」

「また、だまされてるんだよ」

鏡の中で目が合った。先に視線をはずしたのは孝夫のほうだった。

「信じてないの？　自分の娘のこと」

「信じてて裏切られたんだぞ」

「そういう言い方やめてくれない？　奈穂美だって反省してるんだし」

「万引きのことだけだろ」

「……べつに裏切ってるわけじゃないでしょう？」

「裏切ったんだよ、親の信頼と、期待を」

陽子はまた笑った。今度はもっと冷ややかに。「期待って」と言いかけたところで吹き出して、「あなた、娘の彼氏まで親が決めるつもりだったの？」と、おおげさに首をかしげる。

孝夫は舌打ちで話を終えた。返す言葉を見つけるのが面倒になったし、探しても見つかるかどうか、自信はなかった。

ヒデのことを考えるだけで不愉快だった。万引きの件は、けっきょく厳重注意でおさまったのだという。少年院にぶちこんでくれればよかったのに。いまも街をぶらついているというのが腹立たしく、不安でならない。

奈穂美は、陽子にはヒデの写真を見せていた。スケートボードを楯《たて》のように抱いた写真だったらしい。脱色した長い髪、ぶかぶかのウインドブレーカーとポケットのたくさんついたワークパンツ、片耳にピアス、顎《あご》に無精髭《ひげ》、携帯電話をネックストラップで胸に提げて、ごついデザインの指輪をいくつもはめた、陽子に言わせれば「まあ、いまどきの男の子よね」。顔は、なんとかというアイドルグループの、なんとかというメンバーに似ている。名前は覚えられなかったし、たとえ覚えても顔を思い描けないのだが、とにかく「けっこうモテると思うわ、あのルックスなら」。

中途半端《はんぱ》に説明されたぶん、かえってもどかしさがつのる。駅前にたむろする若い男たちに陽子の話を重ね合わせてみても、目にする誰もがヒデに思えてくるだけだ。

フィルターに嚙み痕《あと》のついた煙草をくわえる。すっかり癖になった。ライターは会社の近くのコンビニで買っておいたが、火を点《つ》けて煙を吸い込みたいという気は、不思議なくらい、ない。といって禁煙パイプで口寂しさが紛れるかといえばそうではないところが、自分でもよくわからない。

「あなたも写真見てみれば？　顔がわかるだけでも安心するでしょ」とも陽子は言う。なにが安心だ、と孝夫は取り合わない。「いつまでも親の思いどおりにはいかないんだから」と諭《さと》すように言われると、腹立たしくてたまらなくなる。

なぜ陽子は奈穂美の味方につくのだろう。母親として心配じゃないのか。それとも、女として、通じ合うものがあるのか。

「まだ中学生なんだぞ、奈穂美は……」

つぶやく言葉は、いつもふりだしに戻ってしまう。

陽子は鏡を向いたまま、「わたしだって心配なのよ」と言った。「だから、あの子にも、とにかく一度、彼をお父さんとお母さんに紹介しなさいって言ってるの」

また鏡の中で目が合った。今度も、孝夫のほうが逃げた。

俺は会わないぞ——と言おうとしたとき、リビングからかすかな音が聞こえた。奈穂美か晃司かを考える間もなく、孝夫は跳ねるように立ち上がり、ドアを開けた。

奈穂美だった。

部屋に明かりも点けず、電話台の前に立って、コードレスの受話器をちょうど取り上げたところだった。孝夫に気づいてビクッと肩が揺れた、それだけで、なにをしていたか、わかる。

奈穂美は受話器を手にしたまま、「お帰りなさい」と言った。

孝夫の返事はワンテンポ遅れた。

「まだ起きてたのか？」——つくり笑いになった。

「試験勉強してるから」

奈穂美はそう言って、受話器のことに気づいたのだろう、「ちょっと、友だちに試験範囲のこと訊こうと思って」と早口に付け加えた。

「もう十一時過ぎてるぞ、明日にしろよ」

中学生の娘の下手くそな嘘に、なぜ付き合ってしまうのだろう。

「うん……でも、まだ起きてると思うし、その子の電話、ピッチだから」

ぎこちなく笑いかけるのをさえぎって、「明日にしろ」と強く言った。

「電話するって、約束したから」

誰とだ——とは訊けなかった。代わりに、「遅いんだから明日にしろ」と繰り返す。声が舌にうまく載っていないのがわかる。視線はいつのまにか床に落ちていた。

奈穂美は黙って受話器を戻し、不意に息を詰めて笑った。

「お父さん、言っとくけど、わたし、プリペイドのケータイ持ってるんだよ」

孝夫が顔を上げたときには、奈穂美はもう廊下に出ていた。

呼び止められなかった。

すべてが空回りして、すれ違って、遠ざかって、元には戻らないんだと、ただ噛みしめるしかなかった。

寝室に戻った孝夫に、陽子は声をかけなかった。孝夫もなにも話さず、またベッドの縁に腰をおろした。フローリングの床を素足で歩いたせいで、寒気がふくらはぎのあたりまで染《し》みていた。秋も、もう半ばを過ぎた。季節の巡りが毎年少しずつ早くなる。

陽子の背中を見た。淡いピンクのパジャマは厚手で、サイズも少し大きく、体の線はほとんどわからない。腰のまわりの肉付きも、下がってきたのを気にしている乳房も、目と指が覚え込んでいるはずなのに、いまは思いだせない。

煙草《たばこ》をくわえ直すと、唾液《だえき》で濡《ぬ》れたフィルターの紙がちぎれ、舌に貼《は》りついた。

だまされているのかもしれない。ふと、思った。奈穂美がふだんどおり学校に通っているというのは嘘で、ほんとうは俺が寝入ってから外で夜遊びをしているのかもしれない。学校も休みつづけているのかもしれない。家族のことなど、なにもわからない。陽子は昼間この家でなにをしている？　結婚以来十五年でセックスをした相手は俺だけなのか？

なあ、俺がいちばん見てみたいのは、おまえを最初に抱いた男の顔なんだよ——。

「なにか言った？」

化粧水を含ませたコットンを頬にあてながら、陽子が訊いた。

「べつに……」と孝夫は答え、舌についた紙を爪《つめ》で剝《は》ぎ落とした。

孝夫の初体験は大学を卒業する間際《まぎわ》だった。同い年の恋人と寝た。美由紀《みゆき》という名前だった。いずれ彼女と結婚するのだと決めていて、決めたからこそ、抱いた。美由紀も初めてだった。うまくできたとは思わない。美由紀は「痛い、痛い」と涙を流したし、孝夫もコンドームを裏返しに広げてしまって、何個もむだにした。それでも、すべてが終わったあと二人で抱き合っていると、いままで味わったことのないような幸福な気分になれた。彼女が、初めてのセックスの相手に自分を選んだということが、たまらなく誇らしかった。

時代遅れ——いまと比べたらもちろん、十数年前の当時からみても、じゅうぶんに堅物《かたぶつ》の考え方だった。女性に対してまじめで、潔癖で、慎重で、そしてきっと臆病《おくびょう》なところもあるのだろう。「おまえは女に夢を持ちすぎてるんだよ」と友人によく言われた。「意外と男尊女卑なんじゃないか?」とも。いつだったろう、「おまえ、それ、男の身勝手ってやつだぜ」とあきれはてたように言われたこともあった。

美由紀とは、二度目の体験をすることなく別れた。なまじセックスをしたばかりに、結婚の話を急いで進めようとしたのがよくなかったのだろう、大学卒業後は気持ちのすれ違うことの連続だった。

孝夫は一日も早くいっしょに暮らすつもりだったが、美由紀は三十までは仕事に打ち込みたいと言った。結婚後は家庭に入ってほしいと孝夫が言うと、美由紀はどうしても仕事をつづけたいと言い張った。子供のこともそうだ。美由紀は子供をつくって自由な時間を奪われるのが厭《いや》だと言った。孝夫には、子供のいない家庭など考えられなかった。長い話し合いを何度繰り返しても、けっきょく溝は埋められなかった。

美由紀が結婚したという話を友人から聞いたのは、十年ほど前のことだ。

寝室の明かりが消えてしばらくたった頃、孝夫は陽子のベッドに移った。寝入りばなを起こされた陽子は、最初のうちこそ「眠いから、だめ」と孝夫の手をはらいのけていたが、布団の中で脚をからませていると、「もう」と鼻にかかった声で笑い、自分からパジャマのボタンをはずしていった。

いつもより乱暴に陽子の体をまさぐった。一言も話さなかった。陽子の中に入ったあとは、ずっと目をつぶっていた。

美由紀のことを忘れていたわけではないんだと、いま、気づいた。

だったら陽子も、初めて寝た男のことはいまも忘れていないんだろうな、とも。

# 4

なにが、どう間違っていたのだろう。

金曜日の朝、満員電車に揺られながら、思った。

たとえば家族の写真をパスケースに入れて持ち歩くような、休日出勤を断って晃司の水泳の特訓をするような、幼い奈穂美に「大きくなったらお父さんとケッコンするんだ」と言われてやにさがるような、そういうタイプの父親ではなかった。家庭よりも仕事を優先したことは数えきれないぐらいあるし、子供にかんするたいがいのことは陽子にまかせきりだった。理想的な父親の姿ではないことぐらい、わかっている。

会社のオフィスでパソコンを操作しながら、舌を打った。

だが、悪いのは俺だけなのか？

打ち合わせに向かう途中、駅の売店で買ったドリンク剤を一気飲みした。

家族を信頼しているから、仕事に打ち込めたんじゃないか。裏切られたのは、こっちじゃないか。

得意先の要求する無理難題を愛想笑いでいなしながら、胸焼けをこらえた。

別の人生を生きる可能性だって、あった。別の妻を持ち、別の子供たちを持つ可能性だって、俺にはあったんじゃないか。

陽の暮れた頃、ようやく昼食のハンバーガーを頬張った。

あの頃、美由紀の描いていた人生の設計図に、少しだけでも寄り添っていれば、すべては変わっていたかもしれない。

残業が長引いて、終バスに間に合う電車には乗れなかった。

陽子だって同じことを思っているのかもしれない。別の人生の選択肢は、俺よりもずっと数多くあったのかも、しれない。

ニュータウンの駅に、ため息といっしょに降り立った。

駅は高架になっていて、この季節のこの時刻は、しじゅう冷たい風が吹き渡っている。都心に比べると気温が二、三度は低い。

駅前とはいっても、ニュータウンの夜は早い。商店街はすでにほとんどの店がシャッターを降ろし、遊歩道にひと気もない。ショッピングセンターに併設された数百台収容の立体駐車場のシルエットは、墓石に似ている。その向こうに、孝夫の暮らす団地の明かりが見える。家の灯が暖かいというのは嘘《うそ》だ、と思った。遠くに見える家の灯は、そばに行けば温《ぬく》もりがあるのはわかっていても、眺めるぶんにはむしろ寒々しい。

電車を降りた乗客のほとんどは、一台でも早いタクシーに乗ろうとして改札へつづく階段に向かってホームを駆けていったが、孝夫は電車を降りてすぐのベンチに腰をおろした。背広のポケットから煙草を取りだして、くわえる。前歯で嚙《か》んだ。フィルターの先を舌で触ったが、味はしなかった。

風が電線を鳴らす。ひゅうひゅうと、女がすすり泣くような音だ。引っ越してきたばかりの頃は、奈穂美がその音におびえて、よく夜中に起きてきたものだった。まだ奈穂美は小学校の低学年だった。晃司は幼稚園にも入っていなかった。もしも家族の歴史でいちばん楽しかった頃を訊《き》かれたら、いつになるだろう。時間をうんとさかのぼってしまうことになるだろうか。少なくとも、いまではないし、これから、でもなさそうな気がする。

煙草の位置を変えて、奥歯で嚙みしめた。

禁煙のきっかけは、小学六年生だった奈穂美がリビングにこもるにおいをいやがったからだった。あの頃はリビングが我が家の中心だったんだと思うと、団地の灯が、また、寒々しく感じられてくる。

都心へ向かう快速電車がホームを通過したのをしおに、立ち上がった。温かい缶コーヒーでも飲んで帰るか、と自動販売機の前で財布の小銭を探っていたら、駅の裏手から台車の走るような音が聞こえてきた。

ホームの端に行って覗《のぞ》き込むと、ほとんど真下といってもいい位置、街路灯にぼんやりと照らされた銀行の駐車場に人影が見えた。出入り口をふさぐフェンスの隙間《すきま》から、なにか細長い板のようなものを先に中に入れ、軽い身のこなしでフェンスをよじ登って、越えたところだった。

音と板の正体は、すぐにわかった。スケートボードだった。人影は片足をボードに乗せ、もう一方の足で地面を何度か蹴《け》りながら、ウォーミングアップのように駐車場をゆっくりと一周した。

男だ。それも、かなり若そうな。

あいつが、ヒデなのか——。

確信など、ない。だが、予感よりも強く、胸が震える。

男はウォーミングアップを終えると、背負っていたバッグから取りだしたジュースの空き缶を間隔をおいてアスファルトの路面に並べ、その間を縫ってジグザグにボードを走らせた。スキーでいうならスラロームだ。空き缶の間隔はかなり狭かったが、男は小さなふくらみで、スピードも落とさず、慣れた調子でボードを操る。最後の空き缶をクリアすると、ボードの先端を浮かせて、ターン。今度は逆方向からスラロームを始める。

うまいものだ。素直に思う。だが、高校を中退してプロを目指すに価《あたい》するレベルなのかどうかはわからない。

まあ、あいつがヒデだったらの話だけどな、と苦笑いを浮かべたとき、背広のポケットの中で携帯電話が鳴った。

「さっきのことだけど」——大学時代の友人の声が、耳に流れ込む。

「悪かったな、仕事中に、いきなりヘンなこと訊いちゃって」

くわえ煙草のくぐもった声が、電波になって夜空を飛んでいく。あたりまえのことが、なんだか急に不思議なできごとのように思えて、掌《てのひら》に隠れるサイズの電話機を耳と頬に強く押しつけた。

「いま家なんだ」友人は言った。「古い年賀状探してみたんだけど、七、八年前のしかないんだよなあ。引っ越してるかもしれないけど、どうする？」

「かまわないよ、教えてくれ」

「でも、どうしたんだ？　なにかあったのか？」

「ちょっとさ」うまく笑えなかった。「懐《なつ》かしくて、それだけだよ」

電話の向こうで友人は少し黙った。なにか言おうとしてためらう気配が伝わる。あの頃いちばん仲の良かった男だ。出会いから別れまで、いちばん近くで見てきた。披露宴の司会は任せろ、と三人で酒を飲むと真顔で言っていた。

「教えてくれ」

目をつぶった。メモに書き残したりはすまい、と最初から思っていた。友人が二度復唱した数字を頭に刻みつける。市外局番を入れて十桁《けた》の数字だ。覚えていられるならそれでいいし、忘れてしまうなら、それもいい。

「住所のほうはどうする？」

「いや、電話番号だけでいい」

また煙草をくわえた。フィルターを噛みしめると、数字の連なりが、頭なのか胸なのか、とにかく体のどこかに沈んでいく。

「よけいなお世話かもしれないけど、逃げ場所にはするなよな、思い出を」

友人は言った。「もう二十年近くたってるんだから」と付け加えて、「もう俺らはおじさんだし、美由紀さんだって、おばさんになったんだからさ」と笑った。

わかっている。孝夫は電話機を握り直し、フィルターが唾液で濡れそぼった煙草を線路に吐き出して捨てた。

駐車場では、男がまだスラロームをつづけていた。タイムを計っているのか、一往復するたびに腕時計を覗き込む。空き缶の間隔をさっきより狭めたらしく、ときどき体のバランスを崩して片足を地面についてしまうこともある。

「思い出って玉手箱みたいなものだから、開けないほうがいいんだよな」と友人は言った。

「せめてパンドラの箱って言ってくれよ」

思いつきで言った自分の声を自分で聞いて、たしかにそうだな、とうなずいた。ギリシア神話だ。パンドラが天上から地上に持ってきた、ありとあらゆる悪の詰まった、決して開けてはならない箱。パンドラは女性——神のつくった最初の女性だった。

まるで歌のフレーズのように、話がうまくあてはまりすぎる。

「玉手箱だな、やっぱり」孝夫は言った。「どうせ電話するとしても、孫ができた頃だろうし」

「そうそう、そうだよな、じいちゃんとばあちゃんになってからでいいんだよ」

友人はほっとしたように言った。

孝夫も、電話を切ったあと、ほっとした。電話などしない。会うつもりも、もちろんない。ひとつだけ家族に秘密を持ってみたかった。パンドラの箱は、蓋《ふた》さえ開けなければ、いい。

新しい煙草《たばこ》をくわえる。スラロームをつづける男を目で追いながら、ライターで火を点《つ》けた。煙を浅く吸い込んだだけで、頭がくらくらする。味などわからない。香りも嗅《か》ぎとれない。こめかみの内側がこわばり、みぞおちが軋《きし》むように痛む。

思いだせるか――。

数字を並べた。だいじょうぶ、まだ忘れてはいない。

煙をもう一口、今度は少し深く。

数字は消えていない。

男がターンに失敗して、地面に尻餅《しりもち》をついた。ボードは勝手に路面を滑って、空き缶を何本か倒して停まった。甲高《かんだか》い音に顔をしかめると、後ろ手をついた男と目が合った――ような気がした。

孝夫はあわててホームの中央にあとずさり、階段に向かって歩きだした。煙草の煙に鼻先をいぶされながら、携帯電話のボタンを押す。

1・1・0

若い男が立入禁止の駐車場に入り込んで遊んでいる、騒音をたてている、煙草を吸って、シンナーも吸っているみたいで、さっき通行人の若い女が追いかけられそうになった。

「すぐに捕まえてください」

数字は、まだ覚えている。

階段を下りて、改札を抜け、タクシー乗り場の行列のしっぽについた。ロータリーの出口にある派出所から、自転車に乗った警官が二人組で出かけるのが見えた。

## 5

家に帰ると、こわばった顔の陽子に迎えられた。

「ヒデって子、めちゃくちゃなことやってるみたいよ」

「なにかあったのか」

「あったっていうか、心配だから調べたの。つてをたどって、いろいろとね。あの子と同じ団地のひとからも話を聞いたし、高校の同級生の子のお母さんからも」

女をとっかえひっかえ――らしい。陽子が調べただけでも、十人近い女子高生や大学生、OLの名前が出てきた。

「十六、七のガキのくせに、ジゴロ気取りなんだって。なめてるのよ、世の中を」

あきれはてた顔と声で言ったのが、ぎりぎりの強がりだった。

「悔しいよね、ほんと、悔しい……」

陽子はつぶやいて、唇を内側に巻き込むように、前歯で噛んだ。瞬《まばた》きのテンポが速くなる。

「ほんとうに好きで、向こうも真剣なんだったら……それは心配だし、嬉《うれ》しいわけないけど、わたし、最後まで奈穂美のこと応援するつもりだったの。こんなふうに終わるのって、なんかね、つらいよね、自分の娘がだまされたなんてね……」

「奈穂美は？　そのこと、もう知ってるのか？」

「さっき、部屋で話した」ため息を挟んで。「最初はぜんぜん信じてなかったけど、それ誤解だから、確かめるから、って携帯に電話して、ひどいこと言われたんだと思う。あとは、もう、ね、一人で考えて、一人で決めるしかないことだから」

孝夫は、陽子よりもっと深いため息をついて、ソファーの背に倒れ込むように体を預けた。目をつぶると、さっき煙草を吸ったときと同じように、頭がくらくらした。

「遊びで、抱かれたのか」

「そういう言い方しないで」

「初めてだったんだぞ、あいつは。これから、いくらでも出会いがあって、未来があって、幸せにならなきゃいけないんだぞ。なんで、そんな……」

孝夫のうめき声をさえぎって、「幸せになるわよ」と陽子は言った。

「幸せになるに決まってるじゃない、未来はあるわよ、ちゃんと。あたりまえじゃない、ヘンなこと言わないでよ」

強い響きだった声は、最後でしぼみ、洟《はな》をすする音に変わった。

「女をそういうふうに見ないで」

目を赤くして言った。

「ぜったいに、やめて、そんなの」

頬を涙が伝い落ちる。

孝夫は黙って煙草をくわえ、火を点けた。懐かしいひとの電話番号を頭の中でなぞった。ゆらゆらとたちのぼって広がり、やがて消えていく煙といっしょに、忘れてしまいたいものすべて、自分の中から消え失《う》せてくれればいい。

「禁煙、だめになっちゃったんだね……」

陽子は目元を指でぬぐいながら、無理に笑った。

煙草を吸い終えた孝夫は、ソファーから立ち上がった。陽子がなにか言いかけるのをかぶりを振って制して、廊下に出た。

奈穂美の部屋のドアの前に立つ。ゆっくりと息を継ぐ。起きているのか眠っているのか、泣いているのか、薄っぺらなドアなのに部屋の気配は伝わってこない。

ドアに鍵《かぎ》はない。ノブを回せば、すぐに奈穂美に会える。抱きしめることも、頰を平手打ちすることも、かんたんにできる。

だが、孝夫の手は動かなかった。パンドラの箱はここにもあるんだ、と思った。

「奈穂美」

目をつぶって、言った。先の言葉は決めず、理屈の筋道を通すつもりもなく、あとはもう口が動くままにした。

「お父さんだけど……お父さんと話すの厭《いや》かもしれないけど、お父さんはおまえと話すの、ずーっと楽しいからな、おまえがおとなになっても楽しいし、いつでも楽しいからな、一生、お父さんはお父さんだからな」

なんだよそれ、と自分で自分を笑った。ほんとうに言いたかったことをまたごまかしてしまったような気がしたが、言いたいことなんてけっきょくそれしかないんだよ、とも思う。正しい答えはわからない。ただ、喉《のど》の奥の、ここにもまたパンドラの箱はあるんだと知った。蓋は、きっと堅く、重い。

目を開けて、ドアに向かって微笑《ほほえ》んで、リビングに戻った。陽子は赤い目で孝夫をちらりと見て、小首をかしげ、でもまあいいか、というふうに何度かうなずいて、「ひさしぶりにのんびりできる週末だね」と笑った。

時計を見ると、もう土曜日になっていた。


翌朝、孝夫と晃司が朝食を食べ終えた頃になっても、奈穂美は自分の部屋から出てこなかった。

「まあ、学校も休みなんだし、立ち直るまで好きにさせようね。いやってほど寝ちゃえば、また元気になるんだから」

陽子は奈穂美のおかずの皿にラップをかけながら、言った。自分に言い聞かせるようにーーもしかしたら、昔を懐かしむように、だったかもしれない。

孝夫は小さくうなずいて、晃司に「天気もいいし、お父さんと買い物行こうか」と声をかけた。「ゲームソフト、買ってやるよ」

「やったあ!」と歓声をあげた晃司が服を着替えに自分の部屋に駆け込むと、その夕イミングを待っていたのか、陽子は「ちょっと、いい？」と孝夫を寝室に呼んだ。

ヒデの写真を渡された。びりびりに破いたのを、セロテープで留めた写真だった。

「今朝、奈穂美を起こしに行ったら、ゴミ箱に入ってた。だから、もうだいじょうぶだと思う」

「おまえがテープで留めたのか」

「そう。娘の初めての相手、あなたも顔ぐらい知っときたいでしょ」

孝夫は写真を食い入るように見つめた。ゆうべ、銀行の駐車場にいた男とは違っていた。

肩から力が抜けた。そのつもりはなかったが、頬がゆるんで、笑う顔になった。

写真を返すと、陽子は「あの子も、これから男を見る目を鍛えなきゃねえ」とつぶやいて、不意打ちをくらわすような勢いで写真を真ん中から引き裂いた。

ヒデの上半身は陽子が、下半身は孝夫が、奈穂美がしたよりももっと細かく破っていく。

「ほんとうは、本人をぶん殴ってやるのが男らしいんだけどな」

「知らん顔をしてあげるのが、父親らしいのよ。無関心と知らん顔ってのは、ぜったいに違うんだから」

「……ああ」

「一生、ね」

それが正しいのか間違っているのかは、わからない。父親とはずいぶん孤独な役回りなんだな、とも思う。だが、その孤独を引き受ける気になっている、いまは。

廊下を走る足音が聞こえた。

「お父さん、ぼく、もう着替えたよお！」

おちんちんがどうして男の子だけについているのか、たぶんまだ理由を知らない息子が、はずんだ声をあげた。


駅前のショッピングセンターでマンガ雑誌をたっぷり立ち読みして、お目当てのゲームソフトを買ってもらった晃司は、上機嫌のお裾《すそ》分《わ》けをするように「お姉ちゃんにも、おみやげ買わなくていいの？」と孝夫に訊《き》いた。

「じゃあ、なにか買っていくか。お姉ちゃんの最近欲しがってるものとか知らないか？」

晃司は「うーんとねえ……」としばらく立ち止まって考え込んだすえ、「オルゴールなんていいんじゃない？」と言った。

「ほんとかあ?」

「うん、だって、ウチのクラスの女子もみんな好きだもん、オルゴール」

どうもあやしい理屈だったが、雑貨フロアに向かった。

店員に尋ねると、売場にあるオルゴールはみな、小物入れやこども向けの宝石箱に組み込まれているのだという。寄せ木細工の、いちばん小さな箱を選んだ。あまり飾りのついていない、シンプルな、おとなっぽいデザインのものにした。

「ぼくも買っていい?」

「なんだよ、オルゴールって女子が好きなんだろ?」

「ま、いいじゃん、なんかおもしろそうなんだもん」

晃司が選んだのは、鍵付きの小箱だった。カマをかけて、鍵の付いていない箱を「こっちのほうがいいんじゃないか?」と勧めてみたが、どうしても自分の選んだものがいいのだという。

鍵があるやつがいいのか?――と訊くほど意地悪な父親ではない。ただ、もうおまえも鍵付きの箱が欲しくなる年頃なんだな、と驚きとも感慨とも、喜びとも寂しさともつかない温《ぬく》もりが胸にこみ上げて、晃司の頭を少し乱暴に撫《な》でてやった。

子供が成長するにつれて自分に近づいてくるように感じていられたのは、いつ頃までだったろう。親は身勝手だ。ある時期までは早く大きくなれと願い、ある時期からはいつまでもこのままでいてほしいと祈ってしまう。

雑貨フロアには中学生や高校生の少女がたくさんいた。屈託なく笑う彼女たちの胸に、親に話せない秘密はいくつひそんでいるのだろう。それをいつか、話してくれる日は来るのだろうか。

でも、まあ、話す相手は母親なんだろうな——レジの順番を待ちながら苦笑いを浮かべ、晃司にささやいた。

「晃ちゃん、オトコ同士、ずーっと仲良くしようぜ」

晃司はこっくりとうなずき、嬉しそうに言った。

「だったらゲームソフトもう一本買って」

買い物が終わると、晃司は「屋上でアイス食べない？」と言った。狙《ねら》いはそのあとのゲームコーナーだとわかっていたが、今日はとことん付き合ってやろう、と決めていた。息子と二人で遊びに出かけられるのも、せいぜいあと一、二年というところだろう。家族の歴史の序盤戦はもうすぐ終わりなんだな、と受け入れた。まだまだ先は長いんだけどな、とも。

エスカレータで屋上まで上がり、ペットショップを抜けて外に出ると、思いのほか明るい陽射《ひざ》しが降りそそいできた。空が青い。広く、高い。なにか色をひとつ塗り重ねるのを忘れてしまったような、きれいすぎる空だった。

テラス席でソフトクリームを食べながら、晃司はさっそく自分のオルゴールをテーブルに出して、鍵の調子を試しながら蓋《ふた》を開けたり閉めたりした。細切れの『星に願いを』のメロディーが、たどたどしいテンポで孝夫の耳に届く。

「ねえ、なにか中に入れるものない？」

煙草《たばこ》とライターを渡してやった。

晃司は蓋を閉めて、鍵をかけた。穴から抜き取った鍵を、また差し込んで回そうとした、そのとき――。

「あれ？　お父さん、動かなくなっちゃったよ、これ」

「なにやってんだよ、ちょっと貸してみろ」

孝夫がやってみても、だめだった。まっすぐに差し込まなかったせいでどこかにひっかかったのか、荒っぽく扱っていたのが悪くて鍵穴が壊れたのか、もともと不良品だったのか、どんなにしても鍵は回らないし、抜き取ることもできない。

「……ごめんなさい」

急にしょげかえる晃司に、孝夫は「だいじょうぶだよ、いま買ったばかりだから交換してもらえると思うから」と笑顔で答えたが、不意に別の考えが浮かんだ。

「あのさ、おまえのオルゴール、新しいの買ってやるからさ、これ、お父さんにくれよ」

「だって、壊れてるじゃん」

「いいんだ、これで」

孝夫は片手に持った小箱を軽く振った。ライターが箱にあたる音と、煙草のパッケージのセロファンと紙がこすれ合う音が聞こえる。悪くない。もう一度振った。そうだよな、とうなずいた。

隣のテーブルに家族連れが座った。両親に、お姉ちゃんと弟。四、五年前の我が家が、そこにある。ソフトクリームが二つと、タコ焼き——家族のリクエストを指差して確認しながら、父親は席を立って売店に向かう。やれやれ大変だなあ、と小走りの背中がぼやいているようにも見えたが、売店で最初に注文したのは紙コップ入りの生ビールだった。

「晃司、お父さん、また禁煙がんばるからな」

きょとんとした顔の晃司から、晴れ上がった空に目を移した。

ギリシア神話のパンドラの箱のくだりで、箱に最後に残ったものは、希望だったろうか、それとも絶望だったろうか。学生時代に入門書を読んだはずだが、記憶はあやふやだった。

箱を空にかざした。目を細めると、空の青が少し落ち着いた色合いになった。

懐《なつ》かしいひとの電話番号は、市外局番から先はもう思いだせなかった。

# セッちゃん

# 1

「セッちゃん」という少女のことを雄介《ゆうすけ》が初めて知ったのは、九月——まだ陽射《ひざ》しに夏が残っている頃だった。

セッちゃんは、娘の加奈子《かなこ》の同級生だった。二学期の始業式に転校してきたのだという。

「ちょーかわいそうなの、セッちゃんって」

加奈子はクッキーを頰張《ほおば》って言った。

唐突に切りだした話だった。夕食後、「宿題があるんじゃないの？」と母親の和美《かずみ》に小言を言われながらリビングに居残ってテレビを観《み》ていた加奈子は、ドラマがコマーシャルに切り替わるのと同時にセッちゃんの話を始めたのだ。

「ソッコーだよ、速攻で嫌われちゃったの、みんなから」

「なんで？」と和美が訊《き》くと、加奈子は「さあ……」と首をかしげ、口の中のクッキーを紅茶で喉《のど》に流し込んで、「よくわかんないけど」と付け加えた。

「わかんないって、そんなの、理由がなくて嫌われるわけないでしょう」

「そう？　あるんじゃない？　そーゆーのも」

「なに言ってんの」

「まあ、ちょーかわいそうだけどね、やっぱ、あるよ、そーゆーの」

「カナちゃん、あんたはだいじょうぶなの？」

「なにが？」

「その子のこと、みんなといっしょになって悪口言ったりしてない？」

母親の不安をいなすように、加奈子は「ないないない」と軽く笑い、「あたし、セッちゃんと友だちだもん」と付け加えた。

コマーシャルが終わり、テレビの画面はドラマに戻る。和美はまだなにか言いたそうだったが、加奈子は通せんぼをするような手振りで話を打ち切った。

キムタクだったかソリマチだったか、雄介には格好つけて斜にかまえただけの男にしか見えないが、とにかく学校でいちばん人気のある俳優が主演するドラマで、これを観ていないと友だちとのおしゃべりに入っていけないのだという。

和美は、やれやれ、と息をつき、ソファーからダイニングテーブルに移った。遅い夕食をとっていた雄介の正面に座り、テレビばっかり観てんのよカナって、もうまいっちゃう、と息だけの早口で言った。雄介は苦笑いを返し、ビールを缶のまま啜《すす》った。小さなゲップといっしょに、まあいいじゃないか、と声に出さずにつぶやく。

和美が本気で愚痴っているわけではないことは、雄介にもわかっている。心配ごとのなにもない暮らしが逆に心配になって、ささやかな不満や不安や悩みのタネを見つけたがっているだけだ。

雄介は逆だ。おだやかで波風の立たない暮らしを、そのまま素直に受け入れられる。「のんきすぎるんじゃない?」と和美によく言われるが、そういう性分なのだからしかたない。

中学二年生が難しい年頃だということは、テレビのニュースキャスターに言われるまでもなく知っている。ましてや、父と娘だ。もう幼かった頃のように無邪気に「おとうさん、おとうさん」とまとわりついてくることはない。

それでも、雄介は思う。和美に親バカだとあきれられても、思う。加奈子は素直でいい子に育ってくれた。一人娘だ。多少は甘やかしてしまったかもしれないが、わがままな性格ではないし、なにより明るくて積極的なのがいい。

小学生の頃から、クラス委員はもちろん、運動会の応援団長やクラブの部長や子供会の班長など、なにかのリーダーを決めるときには必ず加奈子の名前が挙がった。本人もそういった役割が好きだった。一年生のときも、今年も、一学期のクラス委員をつとめた。クラス委員は学期ごとに改選するという校則がなければ、委員をやりどおしだったはずだ。「どうせやりたがる子なんていないんだから、やりたいひとにずーっとやらせてあげればいいのにね」とよく言っている。ちょっと目立ちたがり屋のところもあるのかもしれないが、引っ込み思案で友だちがいない子より、ずっといい。

テレビは、またコマーシャルになった。加奈子は緊張がいっぺんに解けたように、ふーう、と長く息をついてソファーに寝ころがった。

「そんなに気合い入れて観るほどのもんじゃないだろ」

雄介が苦笑交じりに言うと、しょぼついた目をこすりながら「カルトなネタ捜さないと、明日、話が盛り上がらないもん」と返す。

「なんだ？　カルトって。オカルトとは違うのか？」

「あ、いーのいーの、はい、おとうさん、わかんなくていいから」

顔の前で掌《てのひら》を横に振って、笑う。キッチンで洗い物をする和美が「カナちゃん」とたしなめるように言ったが、いつものことだ、加奈子は「ほーい」とおどけて答え、雄介もべつに腹が立つわけでもなく、明日会社のＯＬに「カルト」の意味を訊いておこう、と思っただけだった。

いつもこんなふうに、我が家の夜は更《ふ》けていく。幸せ――などとおおげさな言葉をつかうとさすがに照れくさいが、じゅうぶんに満たされている。

「でも、まあ、セッちゃんも最初だけだと思うけどね、みんなとしっくりいかないのって」

加奈子は、話をまた唐突にセッちゃんに戻した。

「その子、どこから転校してきたんだ？」

「さあ……」

「先生、紹介してくれなかったのか」

「まあね、でも、うん、今度訊いてみる」

「仲良くしてやれよ、転校生なんてひとりぼっちなんだから、ほかの子が嫌ってても、カナが面倒見てやらないとかわいそうだぞ」

「でもアレよ」キッチンから出てきた和美が口を挟む。「先生に言いつけたりしないほうがいいからね、そういうの、危ないっていうから」

「セコい発想だなあ」と雄介は笑った。

「チクリなんて入れるわけないじゃん」

加奈子もあきれたように言って、体を起こしながら「そんなの、マジ、サイテーだよ」とつぶやくように付け加えた。

## 2

セッちゃんは、九月の終わりになってもクラスになじめなかった。

「生意気で、いい子ぶってるんだって。そーゆー子って、やっぱ、浮いちゃうじゃん。シカトだよ、誰もしゃべってないもん」

もともと学校でのできごとはなんでも親に話す子だった。小学校の低学年の頃は、朝「行ってきます」を言ってから夕方「ただいま」と帰ってくるまで、時間を追って端から話さないと気がすまなかった。中学生になるとさすがに口数は減ってきたが、それでも一日の報告を聞くだけで十分や二十分は軽く過ぎてしまう。

親としては、ありがたい。加奈子のおしゃべりのことを会社で話すと、同じような年頃の子供を持つ同僚は皆うらやましがるし、それが雄介のささやかな自慢でもあった。

だが、セッちゃんの話は、聞いていて、あまりいい気分ではなかった。

いじめ——なのだろう、これは。そういう種類の話を聞くのは初めてだった。驚くというより、とうとう来たか、という気持ちのほうが強い。

援助交際、オヤジ狩り、ナイフ、いじめ、不登校……少年や少女をめぐる言葉はいつも頭の中にあり、しょっちゅうしかめつらにもなってしまうのだが、それはたとえばソマリアの飢えたこどものことを思うのと似たような感じで、現実がそこにあるとは認めても、「そこ」と我が家との間には目に見えない境界線が引かれているような気がしていた。

でも、そういうのはやっぱり甘いのかもしれないなあ……と、セッちゃんの話に気のない相槌《あいづち》を打っていると、ついため息が漏れてしまう。とりあえず加奈子がいじめに加わっていないことにほっとして、だが傍観者の安全圏にとどまっているのもふだんの加奈子らしくないような気がして、それでも下手に正義感をふりかざすのが危ないことぐらいはわかっているから、ため息は繰り返すたびに深くなる。

十月初め——運動会の数日前の夜、加奈子はいつものようにセッちゃんの話を始めた。

体育の時間に、運動会でやる創作ダンスの練習をしたときのことだ。九月のうちにクラス全員で決めた振り付けが、昨日の放課後になって大きく変わった。それを知らなかったのは、セッちゃんだけだった。

「あたし、誰かが伝えてると思ってたのよ。だからなにも言わなかったんだけど……」

そこまではくぐもった声で言った加奈子だったが、もうこらえきれないというようにプッと吹きだして、あとは笑いながらの話になった。

「でも、マジ悲惨だったよお。セッちゃんだけぜんぜん違うフリで踊ってるじゃん、ああいうのって、全員で組んで踊るとそれなりにカッコいいけど、一人だけだとタコ踊りみたいなんだもん」

セッちゃんも途中で振り付けが変わっていることに気づいた。だが、左右をきょろきょろ見ながらワンテンポずつ遅れて手足を動かす姿はなおさら滑稽《こっけい》で、クラスのみんなはもちろん、体育の教師まで笑いだしてしまった。

「あたし思うんだけどさ、振り付けが変わったのを知らなかったのはセッちゃんの責任じゃないわけじゃん？　だったら最後まで元のフリでやればよかったんだよ。で、あとで先生に事情を話せばいいんだと思わない？　あんなふうに必死こいてまわりに合わせるのって、なーんかさあ、みっともないっつーか、プライドないっつーか、哀れだよね。それでさあ、体育の授業終わったあとも……」

雄介は「もういいよ、やめろよ」と話をさえぎった。

セッちゃんの悲しさや悔しさより、それを万が一知ったときの彼女の親が抱くはずの悲しさや悔しさのほうが、胸に刺さった。我が身に置き換えてみると、目をきつくつぶってその場を転げまわりたくなってしまう。

「おとうさんは、そういういやな話、聞きたくないんだ」

加奈子をまっすぐ見つめ、少し強く言った。和美も横から「そうよ、もう、うんざり」とにらむ。

だが、加奈子は悪びれた様子もなく「だって、それが現実だもん」と返した。

ゲンジツという濁った音が、雄介の耳にざらりとさわった。

「なに言ってるんだ。セッちゃんのこと、かわいそうじゃないのか」

「かわいそう、かなあ……」首をかしげる。「同情とかって、ほんとは残酷なんだ、ってよく言わない？」

「カナ」――和美の声がとがる。

「だってそうじゃん」

和美は「ちょっと」と気色《けしき》ばんだが、雄介は目で制した。

少し間をおいて、加奈子は言った。

「みんな、セッちゃんのこと、いじめてるわけじゃないよ。嫌ってるだけだもん。いじめは悪いことだけど、誰かを嫌いになるのって個人の自由じゃん。『いじめをやめろ』とは言えるけど、『あの子を嫌いになるな』なんて言えないでしょ」

雄介と和美を交互に見て、つづける。

「嫌いだから、振り付けが変わっても教えなかったの。嫌いだから、笑うの。嫌いだから、シカトするの。しょうがないでしょ、それ。先生とかに無理やり『セッちゃんとしゃべりなさい』って言われて、内申とか怖いからしょうがなしにしゃべっても、セッちゃんを嫌いだっていうことは消せないじゃん。で、嫌いなのに嫌いじゃないふりして付き合うのって、セッちゃんだっていやだと思う。だって、もうわかっちゃってるんだもん、自分がみんなから嫌われてるって。表面だけダチみたくなっても、セッちゃんも消せないよ、そこは」

一息に言った。途中から声はどんどん高く、早くなり、しゃべり終えると興奮を冷ますように大きく息をついた。

雄介と和美は黙りこくった。納得したわけではなかったが、返す言葉が出てこなかった。

加奈子は腰を浮かせながら、教え諭《さと》すような顔と声で言った。

「だからね、はっきり言って、セッちゃんもそれを受け入れたほうがいいと思うわけ。いまの自分の現実っていうか、みんなから嫌われてるってことを認めたほうが楽になるじゃん。もう、しょうがないよ。謝ったりすがったりするのって、みっともないし」

立ち上がり、あくび交じりの伸びをする。

雄介は、まだなにも言えない。言いたいことはある。だが、それがうまく言葉にまとまってくれない。和美も同じなのだろう、息を吐く音だけ、やけに大きく聞こえた。

「ひとを好きになったり嫌いになったりするのって、個人の自由だもん」

加奈子は最後にそう言って、雄介と和美の返事がないのを確かめてから、「じゃ、おやすみ」とリビングを出ていった。

コジン。ジユウ。また耳にざらついた。

「……屁理屈《へりくつ》ばっかり言っちゃって、ほんと、生意気なんだから」

ふくれつらで言う和美のほうが加奈子よりこどもに見えてしまったのは、なぜだろう。

運動会の前夜になって、加奈子は急に「おとうさんもおかあさんも、明日来なくていいよ」と言いだした。両親が仕事や用事で見に来られない一年生といっしょにお弁当を食べなければいけないのだという。

「あとさあ、徒競走、サイテーの組み合わせで、みんな足速いのよ。もうぜったいビリ決定だから、あんまり見られたくないっていうか、恥ずかしいじゃん、だから、ね、もういいじゃん、お弁当いっしょに食べられないんだったら来ても意味ないし、カッコ悪いところ見せたくないし。来年に期待してよ、ね」

テンポよく言う加奈子の言葉に、雄介はつい「わかった」と答えてしまったが、運動会を楽しみにしていた和美は不満そうに「一年生の子と食べるのって、カナちゃん一人だけなの？」と訊《き》いた。

「一学期のクラス委員の子は、いちおうみんな先生に声をかけられたみたい。みんなは断ったんだけど、まあ、一年生の子も寂しいじゃん、やっぱ」

「でもねえ……」

納得しきらない顔でうなずいた和美は、「あ、そうか」と声をはずませて加奈子に向き直った。「ねえ、それ、生徒会の選挙のテストなんじゃない？」

「はあ？」

「だって、一年生の面倒も見られないようじゃ生徒会なんてできないじゃない。運動会終わったら、すぐ選挙でしょ、先生はそうやって向き不向きをテストしてるのよ。どう？　その可能性あるんじゃない？」

ミステリードラマの名探偵みたいに得意げに、勢い込んで言う。

だが、加奈子は「ないよ、そんなのぜんぜん」とそっけなく返した。

「だって、保護者会のときも原先生言ってたわよ、カナにすごく期待してるって、立候補すればぜったい当選するって」

「そんなの関係ないよ、せんせーが勝手に言ってるだけじゃん」

「女子の生徒会長って、創立以来初めてなんだってね」

「知らないってば！」

不意に、声がとがった。雄介が驚いて顔を上げる間もなく、加奈子は「あたし、立候補なんかしないもん」と声をさらに強めて席を立ち、そのままリビングを出ていった。

「とにかく、明日は来なくていいからね」

リビングのドアを閉める音と同時に、言った。「来なくていい」のではなく「来ないで」と封じるような響きだった。

雄介と和美はそれぞれ、きょとんとした顔を一瞬ゆがめ、タイミングを合わせたように苦笑いを浮かべた。

「まあ、ね、難しいよねえ」と和美が言った。

「中学生だからなあ」と雄介は返す。

いつもの、かたちだけの決まり文句だった。

沈黙が重さにならないうちに、雄介は「風呂《ふろ》、入ろうかな」、和美は「明日のごはん研《と》いどかないと」、どうでもいいことをどうでもいい口調でひとりごちて、その夜の一家団欒《だんらん》の時間は終わった。

3

加奈子は秋晴れの陽射《ひざ》しを浴びるグラウンドの真ん中で立ちつくしていた。ダンスの輪から、一人だけ、はじき出されていた。

「ちょっと、やだ……」

和美はうめき声で言って、かたわらの雄介の袖《そで》をつかんだ。

「振り付け、ど忘れしたのかなあ」と笑う雄介の声も裏返りそうになった。

激しいリズムとうねるようなメロディーの音楽に乗って、加奈子以外は皆、手をつないだり脚を上げたり、しゃがんだり跳んだり、走ったり止まったりと、流れるように踊っている。加奈子は泣きだしそうな顔できょろきょろと左右を見まわし、肩をすぼめ、顎《あご》をひいて、その場で小さく跳ねる。無意味に、けれどそれしかできないのだというふうに一所懸命跳ねる。

雄介は呆然《ぼうぜん》と加奈子を見つめた。目をそらしたかった。自分より、むしろ加奈子のために。だが、まなざしはグラウンドに吸い寄せられたまま、どうしても動かない。

「ねえ……なんなの？　これ、どういうことなの？」

和美の声が波打つ。雄介はなにも答えられない。喉《のど》がすぼまって、ひどく息苦しかった。

「ど忘れなんかじゃないわよ、ぜんぜん踊れないじゃない、おかしいって、ぜったいおかしいと思わない？」

袖を強く揺さぶられた。

「あの子……だからあんなこと言ったのよ、ゆうべ。変だと思ってたのよ、なにかあると思ってたのよ……」

考えすぎだ。雄介はまた笑おうとしたが、今度は、頬はこわばったまま動かなかった。

加奈子の話を疑っていたわけではない。軽い気持ちでグラウンドに来た。運動会の代わりにデパートに出かけることにしていた。学校が通り道にあるので、プログラムで確認して、せっかくだから創作ダンスだけ見ていこうということになった。「約束破るとカナに怒られるかもな」と、ちょっとしたイタズラを仕掛けるような気持ちで観客席の最後列に座ったのだった。

加奈子は飛び跳ねるのをやめた。まわりが静かな踊りになったからだ。隣の子がゆっくりと腕を動かすと、ワンテンポ遅れて、加奈子もおずおずとそれを真似《まね》る。セッちゃんと同じだった。滑稽で、ぶざまで、かなしい姿が、何日か前に加奈子が話していたセッちゃんの姿に重なってしまう。

「なあ、セッちゃんって子、どこなんだ？」

雄介は和美を振り向いて訊いたが、和美はうわずった声で「さあ……」と返すだけだった。

エンディングにさしかかった。全員が一点に向かってダッシュして、円形のスクラムを組む。加奈子はみんなから遅れてスクラムに合流したが、どこにも入れない。一人だけスクラムの外から、かたちだけみんなと同じように中腰になって、誰にもつながらない両手を広げた。

音楽が止まり、スピーカーから「プログラム九番、二年生女子の創作ダンスが終わりました」と女子生徒の声が響き渡る。

雄介は和美の手をひっぱって観客席から離れた。加奈子の顔を見たくない。両親がいることに気づいた瞬間の顔を、見たくなかった。学校の外に停めた車に向かって、立ち止まることなく足早に歩いた。和美は何度も後ろを振り返っていたが、そのたびに手を強くひいた。

「緊張して、頭の中が真っ白になっちゃったんだ」

歩きながら言った。「俺もよくあったよ、ガキの頃」と付け加えて、こわばった頬を必死にゆるめた。

和美は黙って雄介の手を振りほどき、足を止めた。

「どうした？」

「……わたし、もうちょっとカナの様子、見てみる」

「やめとけ」

「カナに訊いたりしないから、遠くから見るだけだから」

「やめろ、そういうの、よくないって」

「だって、このままだと、カナが帰ってきても、どんな顔していいかわからない」

和美は踵《きびす》を返し、グラウンドに駆け戻っていった。

雄介は呼び止めなかった。和美の気持ちは痛いほどわかる。そして、和美のようにはできない自分のことを、少しずるい、と思った。和美の背中が人込みに消えるまで見送ってから、車に向かって歩きだした。逃げる足取りだと自分でも認めた。


和美は夕方の早いうちに帰宅した。ぐったりと疲れきっていた。加奈子がまだ帰っていないことを確かめると、倒れ込むようにソファーに座り、肩で息をついた。

「ぜんぶ、嘘《うそ》だった」

ぼんやりと虚空《こくう》を見つめ、低い声で言う。

クラス担任の原先生は、昼休みに一年生と弁当を食べる話を聞くと怪訝《けげん》そうに首をかしげ、「高木さんが自発的にやってるんじゃないですか？　学校側はそんなこと言いませんよ」と答えた。

セッちゃんという転校生も、いない。先生はきょとんとした顔で「はあ？」と返すだけだった。

「おい、そういうの、先生に……」

雄介が口を挟むと、和美は目を合わせないまま「だいじょうぶだってば。さりげなく訊いたから、先生もべつにカナがどうとかは思ってないみたい」と答え、ため息交じりに「それよりね」とつづけた。

原先生も創作ダンスのことが気になって、生徒席に戻った加奈子に声をかけたのだという。加奈子は屈託なく笑って、「ど忘れしちゃったんです」と答えた。原先生はそれで納得して、「本人も、もう一回やれたら今度は完璧《かんぺき》なのに、って悔しがってましたよ」と和美に伝えた。

「あなたの言ったとおりよ。頭の中が真っ白になっちゃったんだね、あの子」

和美はつまらなそうに笑った。

雄介は黙って舌を打つ。頭の片隅に少しだけ残っていた「ひょっとしたら」の可能性が、皮肉な話だ、加奈子がそう口にしたことで、粉々に砕け散ってしまった。

和美はゆっくりと息を吸い込み、吐き出した。唇か喉がひくついているのか、ひゅう、と細く頼りなげな息の音が聞こえた。

昼休みにグラウンドを一周したが、加奈子の姿はどこにもなかったという。仲良しの美紗《みさ》ちゃんや早紀《さき》ちゃんは別の友だちといっしょに弁当を食べていた。

「親と食べてる子って珍しかったわよ、そういうところ、ウチって子離れができてないんじゃない？」和美はまたつまらなそうに笑って、初めて雄介の顔を見た。「いまから言うこと、気のせいだと思うから、本気で聞かなくていいからね」

「……わかった」

「美紗ちゃんたちがごはん食べてるところに、別の子が二、三人で来たのよ。ちょっと悪そうな女の子。しゃべってる声、聞こえたの、あいつ教室で一人で食ってたぜ……で、美紗ちゃんが、ちょーみじめじゃんって……わかんないよ、それ、ぜんぜん考えすぎだと思うんだけど、とりあえずね、そういう……」

消え入りそうになった声に、玄関のチャイムが覆《おお》いかぶさった。

和美の顔がゆがむ。

「なにも言うなよ」雄介は短く言った。「知らん顔してるんだ」

ドアが開く音につづいて、「ただいまあ！」と加奈子のはずんだ声が聞こえた。

和美は答えない。雄介を見つめ、泣きだしそうな顔で首を何度も横に振る。雄介は小さくうなずき、下腹に力を込めて「おう、お帰り」とせいいっぱいの声を玄関にかけた。

加奈子はスポーツバッグを提げてリビングに入ってきた。

「今日、げろ暑かったあ、死にそう」

校章入りのジャージの上着を脱いでTシャツ一枚になり、「おかあさん、ジュースジュース」と甘えた声で言った。昨日まで——いや、今朝「行ってきまーす」と家を出たときと、なにも変わらない。

和美は黙ってキッチンに立ち、冷蔵庫のドアを開けた。

雄介はゴルフ中継のテレビに目をやった。中年の——だから同世代の選手が、かんたんなパットをはずした。

加奈子はソファーに座り、掌《てのひら》で顔に風を送りながら言った。

「まいっちゃったよお、今日」

「……なにが?」——キッチンから、かがんだ体を冷蔵庫のドアに隠して和美が訊《き》く。

「セッちゃん。もう、サイテー、ちょーみじめ。ダンスの振り付けが変わったの、またあの子だけ教えてもらえなかったんだよ」

雄介はテレビを見たまま「ふうん」と喉を絞って返し、いやこれじゃだめだと思い直し、「へえ、なんだよ、それ、ひっでえなあ」とおおげさに笑ってみせた。

「ひどいよねえ」加奈子も笑う。「体育委員、なに考えてんだろ」

和美はまだ冷蔵庫のドアに隠れていた。

「でね、セッちゃん、困っちゃったわけよ、もう、パニクっちゃって、その場でぴょんぴょん飛び跳ねたの。あたしも参加してるんだぞ、これがあたしの振り付けなんだぞ、最初からそう決まってるんだぞ、って。人間、追い詰められるとなにするかわかんないよねえ」

加奈子は笑う。けらけらと笑う。「ねえ、おかあさん、ジュースまだあ？」と笑いながら言う。

ペットボトルが、キッチンの床に落ちた。

4

原先生は最初、「そんなことはないですよ、高木さんにかぎって」と笑って取り合わなかった。和美がセッちゃんのことを伝えても、「まあ、女の子は空想の世界が好きですからねえ」と、あまり深刻にとらえている様子はない。

「だいいち、彼女、生徒会の選挙にも立候補してるんですよ？　もしいじめに遭《あ》ってたとしたら、ふつう立候補なんてしないでしょ？」

立候補の話は初耳だった。あの夜、加奈子が不意に怒りだして以来、雄介も和美も選挙のことは口にしないようにしていた。というより、運動会のあとは二人の口数じたいが極端に減っていた。

リビングでは加奈子一人、しゃべりどおしだ。セッちゃんのことばかり話す。セッちゃんがいかにクラスのみんなから嫌われているか、いかにかなしい思いをしているか、それを話しておかなければ一日が終わらないというように身振り手振りを交えてしゃべる夜が、もう十日もつづいていた。

「会長候補は高木さん一人ですから信任投票のかたちになるんですが、もう当選は決まりですよ。我々もホッとしてるんです。去年なんか、担任が手分けして自分のクラスの生徒に電話をかけて、やっと立候補の頭数だけ揃《そろ》えたようなありさまだったんですから」

あまり神経質にならずに放っておいたほうがいい、とも先生は言った。学校でも気をつけて見ておきますからご心配なく——いかにも、とってつけたように。

和美からその話を聞いた雄介は、憮然《ぶぜん》としてため息をついた。「ひとごとみたいに言いやがって」と吐き捨てて、ついさっきまで加奈子が座っていたソファーのくぼみに目をやった。

「でもねえ……」和美がぽつりと言う。「先生の言うことも、なんとなくわかるの。もしもよ、万が一、カナがいじめられてるんなら、わざわざ自分から目立つようなことしないと思うのよ」

それは、雄介にもわかる。だが、逆に、筋道が通っているからこそ不自然に感じられないこともない。あの夜「立候補なんかしないもん」と言ったときの加奈子の顔は、冗談を言ったり照れたりしているようには見えなかった。眉間《みけん》が痛くなるくらい記憶を深くたどっていくと、そのとき加奈子は目に涙を溜《た》めていたようにも思えてしまうのだ。

「とにかく、もうちょっと様子を見るしかないわよね」

「うん……」

「短気起こさないでよ、お願いよ」

「わかってるよ」

いつも喉元まで言葉が出かかっている。セッちゃんって誰だ、そんな子どこにもいないじゃないか、おとうさん知ってるんだぞ、ぜんぶ知ってるんだぞ、いじめられてるのか、誰にだ、なんでだ、どんなことされてるのか、ぜんぶおとうさんに言ってみろ……。

訊けばいい。訊いてしまえば、こんなにもやもやした思いを抱え込まずにすむ。それが雄介の言いぶんだった。

だが、嘘がばれたときの加奈子がどうなってしまうのかが怖い、と和美は言う。どちらが正しいのかは、雄介にはわからない。和美は「あなたは自分が楽になりたいだけなんじゃない」となじるように言う。雄介も認める。身勝手なのだと思う。それでも、嘘を守ってやることが加奈子のためになるのかどうかは、やはり、わからない。

雄介はソファーからテレビに目を移した。最近、加奈子はテレビドラマを本気で観《み》なくなった。もう、休み時間にゆうべのドラマについておしゃべりする友だちは一人もいなくなったのだろうか。

加奈子はいま、自分の部屋でなにを思っているのだろう。頭を抱え込んでいるのか。震えているのか。セッちゃんと話しているのか。セッちゃんといっしょに泣いているのか。安普請《やすぶしん》のマンションのドア一枚、壁一枚で隔てられた娘の部屋が、こんなにも遠くなってしまった。

加奈子は生徒会長に当選した。

「当然つーか、他に誰も立候補してないんだから、不戦勝ってやつ？　だから、あんまり嬉《うれ》しいって感じじゃないんだよね」

苦笑いを浮かべる顔は、少し痩《や》せた。

話し相手は和美に任せ、雄介は遅い夕食もそこそこに風呂《ふろ》に入った。湯舟に浸《つ》かり、長く尾をひく息を吐くと、鼻と瞼《まぶた》の奥がぼうっと熱くなる。

夕方、和美から会社に電話がかかってきた。ついさっき原先生から連絡があった、と。

先生は「おかあさんのおっしゃるとおりかもしれません」と、初めていじめを認めた。

たしかに加奈子は信任投票で当選した。しかし、投票用紙に不信任の×印をつけた生徒が三十人近くいた。ワープロで印刷された加奈子の名前の横に「ムカつく」「嫌われ者」「オヤジキラー」「死ね」と落書きした用紙もあったらしい。

さらに先生は「いまにして思うことですけど」と前置きして、ふつうは同級生や部活の友だちがつとめる応援演説を加奈子は一年生に頼んでいたということや、選挙ポスターに靴で踏んだ跡があったことも伝えた。そもそも、全部で五枚つくるポスターを加奈子はすべて自分一人で描いていたのだという。

「顔がなかったんだって、加奈子のポスター。字だけなの。書記や会計に立候補した子は似顔絵描いたり、プリクラ貼《は》ったりしてるのに……そういうのも、先生、やっぱりちょっと気になってた、って」

頭から浴びる熱いシャワーの水音に、電話で聞いた和美の声が重なる。髪を洗う。かきむしって洗う。シャンプーの泡が目に入って、ひどく滲《し》みた。

## 5

雄介は、毎晩遅く帰るようになった。さほど急ぎでもない仕事で残業し、そうでないときは若い同僚を誘って酒を飲んだ。同年代の人間とは飲みたくなかった。酔って、子供の話になるのがいやだった。

家に帰り着くのは日付の変わる頃。外廊下に面した加奈子の部屋の明かりが消えているとほっとする。リビングも真っ暗だともっとほっとするのだが、和美はいつも起きている。雄介の帰宅を待ちかまえている。一人で泣いていることも、たまにある。

加奈子は、いつのまにかセッちゃんと仲良くなっていた。

「だって、かわいそうだもん、いつもひとりぼっちで。あたしだけでも友だちになってあげないと、あの子、自殺しちゃうかもしれないもん」

「自殺」という言葉を聞いた瞬間、心臓が止まりそうになった、と和美は言う。

付き合ってみると、セッちゃんはすごくいい子だったらしい。

「前の学校で、ずーっとクラス委員やってたんだって。あたしみたいなタイプなんだね。転校しなかったら向こうで生徒会長になってたって、ちょー悔しそうに言うの」

親友に、なった。

「似たものどうしだもん。類は友を呼ぶってやつ？　趣味とか興味のあることとか、なんか似てるんだよね、あたしとセッちゃん」

嬉しそうに笑う。

そんなときの加奈子は、なにも見ていない。目はこっちに向いていても、まなざしが来ない。それが怖くてたまらない、と和美は泣きながら言う。

十一月半ばの日曜日、加奈子は昼前に起きてきた。週明けにおこなわれる実力テストに備えて、ゆうべは遅くまで勉強していた。

朝昼兼用の食事をとりながら、「今日、友だちと勉強してくるね」と言う。

「友だちって、誰だ？」と雄介が訊き、「セッちゃん？」と和美が訊いた。

「そう」

加奈子は間をおかずに答えた。「図書館で勉強する約束したの」と、軽く、ごくあたりまえの口調で。

和美は「あ、そうなの」と返した。受け答えには少し不自然な長い間が空いていたが、加奈子は気に留める様子もなく、トーストを頬張って「セッちゃん数学が得意だから、教えてもらおうと思って」と言う。

雄介はとっくに読み終えていた朝刊を開き、不動産広告に出ている家族の写真を見るともなく見て、言った。

「なあ、カナ」

「なに？」と加奈子の声が返り、まなざしは和美がよこした。

「あのさ……セッちゃんっていう子、今度ウチに遊びに来てもらったらどうだ？」

返事はない。

和美が息を呑《の》むのがわかった。

加奈子は紅茶を一口飲んで、「あー、苦しかった、パン、喉《のど》につっかえちゃって」と笑い、雄介に向き直って「そうだね」と言った。

「なんだったら、今日でもいいぞ」

ひらべったい声――代わりに、新聞を持つ手がかすかに震えた。

加奈子はさっきと同じように軽く「じゃあ、都合、訊いてみる」と言った。「どうせ待ち合わせの時間も決めなきゃいけないから、ちょっと電話してみるね」

コードレスの受話器を持って、小走りに自分の部屋に向かう。

雄介は黙って新聞をめくる。「やめてよ、あなた……」と和美が言ったが、聞こえないふりをした。

「カナを追い詰めないでよ、ねえ、あなた親なんでしょ？　残酷なことしないでよ」

追い詰めるんじゃない、引き戻すだけだ、と心の中で返した。親だから、それをやらなければいけないんだ、とも。

「誰と電話してるんだろう、あの子」

「受話器を持ってって、それで終わりじゃないのか？」

「だって、ランプ点《つ》いてるわよ」

電話機のパイロットランプが、通話中を示す赤になっていた。

怪訝《けげん》な顔を見合わせていると、やがて廊下から加奈子の声が聞こえてきた。部屋を出てこっちに向かっているのだろう、声はしだいに大きくなる。

「冗談やめてよ！　あんたって、ちょー身勝手、信じらんないよ」

片手に受話器を持ち、片手でドアを開けて、リビングに戻ってきた。電話の相手の言葉に「うん、うん」と返す声は不機嫌そのものだった。

「わかった、セッちゃん、あんた、だから嫌われるんだよ」

雄介と和美の前を素通りして、ベランダに面した窓の前に立ち、外を眺めながら話をつづける。「だって、あんたってエラソーじゃん、いばってんじゃん」

雄介は自分の膝《ひざ》を鷲摑《わしづか》みにした。加奈子の手から受話器をむしり取りたい衝動を、懸命にこらえた。いや、その前に、耳を両手でふさいでしまいたくなるのを。

「はっきり言うけど、セッちゃん、サイテー。マジ、死んだほうがいいんじゃない？じゃあね」

加奈子は受話器を耳から離し、いまいましそうなしぐさで通話ボタンを切った。

「おとうさん、ごめーん、セッちゃんとケンカしちゃった。今日、図書館は一人で行くから。絶交しちゃったし、もう家に呼べなくなっちゃった」

新聞から目を動かせないでいる雄介に代わって、和美が言った。

「だいじょうぶよ、すぐに仲直りできるって」

加奈子は受話器を電話機に戻して、「まあね」と笑った。

加奈子がまた自分の部屋にひきあげたあと、雄介は受話器のリダイアルボタンを押した。

時報が聞こえた。

和美にも聞かせようと受話器を差し出したが、漏れてくる音だけでわかったのだろう、和美はいやいやをするようにあとずさった。

「……もう、だめだよ」

つぶやいて受話器を置く雄介の背中に、和美はすがりついた。

「なんであんなこと言ったのよ、追い詰めないでよ、カナを追い詰めないで、知らん顔してあげてよ、ねえ……」

押し殺した声で言って、背中を何度も叩《たた》く。

雄介は目をつぶり、和美の小さな拳《こぶし》で叩かれるまま、その場にじっと立ちつくしていた。

6

雄介と和美が学校に呼び出されたのは、十一月の終わりだった。応接室には、原先生と保健室の先生がいた。

最初に原先生が、クラスの様子を説明した。

いじめにはクラスの女子が全員加わっているらしい。きっかけは、つまらないことだ。夏休み中に誰かが「カナちゃんって生意気だよね」「いい子ぶってるよね」と言いだして、思いのほか「そうそうそう、あたしもそう思う」と同意する子が多く、みんなで陰口を言いつのっているうちに、いじめへとエスカレートしてしまった。

「半分はひがみもあると思うんです。素直で屈託のない子へのやっかみのようなものです。ですから、高木さんがなにかみんなの怒りを買うようなことをやったとか、裏切ったとか、そういうことじゃないんです。それが逆にタチが悪いといいますか……こちらも厳しく指導して、来週には中心になって高木さんをいじめてる生徒の親にも伝えるつもりなんですが……どうも、直接の原因がないというのがですね、たとえば高木さんが謝れば、それでみんなの気がすむかというとそうでもなくて……」

原先生はくぐもった声で言う。自分でもうまく整理がついていないのだろう。だが、雄介は「わかります」とうなずいた。かんたんなことだ。答えはずっと以前に加奈子が教えてくれていた。

「好き嫌いは個人の自由ですからね」

雄介は抑揚をつけずに言った。コジン。ジユウ。舌と耳がざらつく。

「もう、こうなってしまったら、表面だけ仲直りしても、だめでしょうね」とつづけた。

原先生は「いえ、そんなことは……」と困惑顔で返しかけたが、声は途中でしぼんでしまう。

加奈子は一所懸命に自分に言い聞かせていたのだろう。自分を納得させようとして、必死に理屈の筋道を立てていたのだろう。

だって、それが現実だもん――。

いつだったか加奈子が言った言葉がよみがえる。同情は残酷なことだ、とも言っていたと思いだした。

「高木さんは、ひじょうにプライドの高い生徒さんなんだと思います」保健室の先生が言った。「こっちがいくら水を向けても、ぜったいに、いじめのことは認めませんから」

話を引き取って、原先生がため息交じりにつづける。

「生徒会長に立候補したのも、自分の居場所を失いたくなかったからなんだと思います。目立つポジションに立つと、よけい反発を買うかもしれないけど、それでも、いつもみんなのリーダーをつとめる自分を捨ててしまうと、自分の居場所がどこにもなくなってしまうと思ったんじゃないでしょうか」

「生徒会の仕事は、ほんとうに一所懸命やってますよ」と保健室の先生が言い添える。「まあ、学校での様子も、どこまで無理をしているのかはわかりませんが、しっかりしてます。気持ちの強い子なので、乗り越えてくれると思うんですよ、いまの状況も」

ばかだな、と雄介は思う。加奈子はすぐにセッちゃんと仲直りした。「友情って、たまにケンカしたほうが深まるみたい」と嬉《うれ》しそうに、自分に言い聞かせるように、言っていた。

思い浮かべるその日の加奈子の笑顔は、原先生の声でひび割れた。

「たいへん失礼なことを申し上げるかもしれませんが、彼女はご家庭の中でも必死に居場所を失うまいとしたんじゃないでしょうか」

こめかみが、すうっと冷たくなった。

「どういうことですか？」と血相を変えて聞き返す和美を、雄介は手で制した。

ばかだな、と雄介は思う。さっきより、もっとかなしい、ばか。俺たちは、かなしい、愚かな親だ。

「つまりですね……」と言葉を継ぎかけた原先生に、雄介は「わかります」と言った。

和美も今度は黙っていた。

「転校生なんてね、そんなの、すぐにばれるのにね」

雄介が笑うと、原先生も「中学生って、ときどきびっくりするほどこどもなんです」と初めて頬をゆるめた。

そして。

「場合によっては、早めにカウンセリングを受けさせてあげたほうがいいと思います」

真顔に戻った原先生の言葉と同時に、保健室の先生がテーブルにカウンセラーのリストを置いた。


加奈子に見つからないよう裏口から学校を出たとき、六時限めの始まるチャイムが鳴った。すぐに会社に戻れば仕事を何件か片付けることのできる時間だったが、そんな気にはなれなかった。といって和美といっしょに帰宅して、素知らぬ顔で加奈子の帰りを待つのも、つらい。

和美は歩きながらカウンセラーのリストをバッグから取り出して、「へえ、催眠療法っていうのもあるんだ」と言った。

「ねえねえ、昔、コックリさんとかキツネ憑《つ》きとかってマンガであったじゃない。セッちゃんも、そういうものなのかもね」「でも、カナも意外と抜けてるわよね、ずーっと最後までだましとおせると思ってたのかしら」「まあ、中学なんてあと一年ちょっとで卒業なんだし、べつにね、友だちなんてね、どうでもいいのよ」……。

和美はしゃべりどおしだった。うわずった声で、雄介の相槌《あいづち》を待たずに、話はすぐに飛んで、どこにも着地しない。

交差点にさしかかった。まっすぐに進めば駅に向かい、右に曲がれば家に着く。

「じゃあ、俺、会社に戻るから」

和美の顔を見ずに言った。

「こんな日ぐらい、いっしょにいてほしいんだけどね」と和美は言ったが、雄介は「早く帰るから」とだけ返し、青信号が点滅していた横断歩道を走って渡った。

しばらく歩いて振り返ると、もう和美の姿はなかった。

ひどいことばかりしている、と思った。

まだ加奈子がセッちゃんを遠くから見ていた頃、たとえば晩酌のビールに少し酔って、「ウチはカナがなんでもしゃべってくれるから安心だなあ」と口にしたことがなかっただろうか。

かわいそうなことをした――と加奈子に謝り、つらかったんだな、と慰めてやることじたい、残酷なのかもしれない。

駅前商店街をあてもなくぶらぶら歩いていると、小さな民芸品店を見つけた。店の前に立ち止まり、表の通りに面した陳列棚に並ぶ品物をぼんやり眺めた。小さな雛《ひな》人形が何組か並んでいた。和紙でつくったお内裏《だいり》さまとお雛さまが、藁《わら》で編んだ円い舟に並んで乗っている。

『身代わり雛』と名前がついていた。

へえ、と雄介は短く笑い、手に取ってあらためて見つめた。細筆でチョンチョンと点を打っただけの素朴な人形の顔は、すましているようにも見えるし、微笑《ほほえ》んでいるようにも、もしかしたら泣いているようにも、見える。

雛人形は我が家にもある。加奈子の初節句に雄介と和美両方の実家がお金を半分ずつ出して買った、七段飾りの、マンション暮らしには少し不釣り合いな豪華なお雛さまだ。加奈子がまだ幼稚園の頃、その人形を使っておままごとをしたいと言いだして、和美と二人で「とんでもない」と叱《しか》ったことがある。それをいま、悔やむというほど強くはないが、やらせてやればよかったんだよなあ、と思う。

レジ台の奥に座っていた無愛想な顔のあるじに品物を渡し、「変わった名前のお雛さまなんですね」と声をかけた。

「流し雛だよ」

齢《とし》からいえば加奈子のおじいちゃんぐらいのあるじの口調は、顔つきにふさわしいそっけないものだったが、話すことが嫌いではないのか、同じ口調でつづけた。

「雛祭りの日に、川に流すんだ。山陰地方の、山のほうの風習だよ。娘の不幸を、お雛さまにぜんぶ持ってってもらって、それで一年間幸せに暮らせるっていう、そういう人形なんだよ」

「そうですか……」

「『流し雛』なんて名前つけてたって、そんな謂《い》われはいまどき誰も知らないし、売れやしないからさ、わかりやすい名前に変えたんだ」

あるじは話しながら品物を包装し、人差し指一本でレジを打って、「いいかげんだけどさあ」と笑った。

「十一月なのに、もう売ってるんですか？」

「ああ、まあそんな、三月三日じゃなきゃいけないってほどごたいそうなものじゃないし……よく出るんだ、これ。季節はあんまり関係ないな。並べといたら、ぽつんぽつんと買いに来て、こないだ一箱仕入れたんだけど、あともう三つか四つでおしまいだよ」

「女の子が多いんですか？」

「いや、まあ、いろいろだよ。おたくだって、おじさんじゃないか」

雄介がかたちだけ笑い返すと、「おたく、娘さんいるの？」と訊《き》いてくる。ぞんざいな物言いだったが、ムッとするより先に、つい、「ええ」とうなずいた。

「もし体のどこかが悪いんだったら、お雛さまの同じ部分に傷をつけて流したらいい。身代わりになってくれるから。どこの村だったか忘れたけど、そういう習わしもあるんだ」

「どういうふうに傷をつけるんですか？」

「そんなのあんた、なんでもいいんだよ、爪楊枝《つまようじ》で突っついてもいいし、ハサミで切ったっていいし、紙なんだからさ」

代金を支払い、お釣りを待つ間に、考えた。加奈子が傷ついているのはどこだろう。頭だろうか。胸だろうか。心は、体のどこにあるのだろう。セッちゃんは、加奈子の中のどこにいるのだろう……。

# 7

次の日曜日に、家族でドライブに出かけた。

雄介の発案だった。

「そんな話、聞いてないじゃん、眠いよお」とぐずる加奈子をなだめすかして車に乗せた。和美は朝早く起きて、運動会の日にいっしょに食べられなかったぶんも張り切って、弁当をつくった。オカズは加奈子の好物しか入れなかった。

遠出ではない。車で三十分ほどの距離にある川に向かった。雄介が車を運転し、和美は助手席、加奈子は後ろの席で黙って外を見ていた。セッちゃんの話は、このところ出ていない。雄介も和美も学校に呼び出されたことは話していないし、まさか原先生がおせっかいをしたとも思えないのだが、とにかくセッちゃんは消えた。まるで、鈍感な両親がようやく一人娘の危機を思い知らされた、その瞬間を見届けて、あとはよろしく、と立ち去ってしまったように。

渋滞した街なかを抜けて、川にぶつかる一本道に入ったとき、雄介は言った。

「なあ、カナ」

返事はなかったが、ルームミラーの中で目が合った。

「あのさあ……学校であったこと、なんでもかんでもおとうさんやおかあさんに教えてくれなくてもいいぞ」

「なにが？」

「想像するのも、けっこう楽しいんだ。カナは学校でなにやってるのかなあ、勉強落ちこぼれてないのかなあ、彼氏とかできたのかなあ……って、そういうのも、おとうさん、なんか憧《あこが》れちゃうんだよな」

「なにそれ」加奈子はつまらなそうに笑った。「よくわかんないけど」

「おとうさんもよくわかんないけどさ、ナイショの話とか秘密とか、ほんとは楽しいのかもしれないなあ」

ルームミラーから、加奈子の顔が消えた。シートに寝そべったのだ。

雄介は肩から力を抜いて、和美にちらりと目をやった。和美は前を見ていた。雄介の視線に気づいても、顔を動かさなかった。頬を伝い落ちる涙が、陽射《ひざ》しをはじいた。

「疲れたら休んでいいからな、カナ」と雄介は言った。

少し間をおいて、加奈子は寝ころんだまま「だってまだ、近所じゃん」と笑った。

芝生を敷き詰めた河川敷のグラウンドでは、少年野球のチームが試合をしていた。スコアボードを確かめると、三回の裏を終わった時点で十二対九。いま、ショートが平凡なゴロをトンネルし、本塁を狙《ねら》ったランナーは三塁をまわったところで蹴《け》つまずいて転んだ。

「こんなところでお弁当食べるの？」

不服そうな加奈子に、和美が「まだ時間早いから、お昼はもっと景色のいいところで食べようよ」と言った。

「じゃあ、ここでなにするの？」

「ちょっとな、こないだおもしろいもの買ったんだ」と雄介が言う。

「はあ？」

きょとんとする加奈子に、上着のポケットから出した『身代わり雛』を見せた。

岸辺に向かって歩きながら、民芸品店のあるじから聞いたとおりに由来を伝えた。途中で加奈子が立ち止まったり、踵《きびす》を返したりすることもあるかもしれない。覚悟していたが、加奈子は黙って雄介の話を聞き、差し出した人形も受け取った。

「いまから流そう」

「だって、雛祭りの日に流すんじゃないの？」

「いいんだ」

土曜日の午後、駅前商店街を一人で散歩して、あの民芸品店の前をまた通りかかった。陳列棚に『身代わり雛』はあと一組しかなかった。あるじの言っていたとおり、売れゆきは悪くないのだろう。真夜中の暗い川を流れていく傷のついたお雛さまを思い浮かべ、お内裏《だいり》さまの胸に傷をつけた小舟もあるのだろうとも思って、そりゃあそうだよなあ、とため息交じりに笑った。

ほんとうは、和美に頼まれていた。もう一組買っといてよ、と。これから何度も流さなきゃいけなくなりそうだし——自分に言い聞かせるように。

残り一組の『身代わり雛』を手にとって、レジに持って行きかけて、やめた。棚に戻し、店の奥であいかわらず無愛想な顔でテレビを観《み》ていたあるじに、気づいてはもらえないだろうと思ったが小さく会釈《えしやく》をして店を出た。制服姿の女子高生のグループとすれ違った。顔を黒くして、髪の色を抜いて、耳ざわりに語尾を伸ばしておしゃべりをする彼女たちを、たぶん初めてだ、かなしいと思い、いとおしいとも思ったのだった。

格子《こうし》模様のスロープを下りた岸辺には、コンクリートブロックが並んでいた。水の流れはゆるく、ブロックの隙間《すきま》の水面にはゴミや油も浮いていたが、かまわない、流れていけばいつかは海に着く。

「でも、なんか、もったいなくない？　けっこうかわいいじゃん、この人形」

加奈子はお雛さまを舟からつまみ上げて、「マジもったいないよ」と言った。

「だから身代わりになってくれるんだよ。捨てたいような人形に身代わりになってもらうのって、なんか悔しいもんな」

「……ふうん」

小さくうなずく加奈子から目をそらし、中洲《なかす》のそばの浅瀬に群れる鳥を眺めて、雄介は言った。

「流されても、持ち主の子が元気になってくれれば、人形は嬉《うれ》しいんだよ」

鳥がまた一羽、身震いするように翼を動かして浅瀬に舞い降りた。

和美はコンクリートブロックの上にしゃがみこんだ。

加奈子は首をかしげながら、掌《てのひら》に載せたお雛さまをじっと見つめる。横顔が、ふっとゆるんだ。

「あのね、カナ……」

和美が後ろから声をかけたが、言葉はつづかなかった。

「言ってなかったっけ？」――加奈子の、軽い声。

「セッちゃんってさあ、また転校していっちゃったんだよね」と同じ口調でつづけ、さらに軽く、ゴム風船を宙に放すように「べつにいいけど」と笑う。

雄介は息をゆっくりと吸い込み、吐き出して、また吸って、言った。

「カナ、流そう」

加奈子は黙っていた。雄介も、もうなにも言わない。下流に掛かった鉄橋をオレンジ色の電車が渡り、その音に驚いたのか、浅瀬の鳥はあらかた飛び立ってしまった。電車が見えなくなると河原はまた静かになったが、鳥は淡い雲の散った空の、どこに消えてしまったのだろう。

「おとうさん」

加奈子はお雛さまの帯のあたりを指で撫《な》でながら言った。

「なんだ?」

「傷、つけなくてもいいよね? かわいそうだもん、こんなにきれいなのに」

「ああ……かまわない」

「流しても、いじめ、止まんないよ? そんなに現実、甘くないもん」

ゲンジツを、やわらかい響きで言えるようになった。それでいい。

「現実は厳しいんだよ、おとなもこどもも」と雄介は笑いながら加奈子から離れ、しやがんだままの和美に目配《めくば》せして、二人でスロープを上った。

途中で和美の手をとった。強く握った。芝生の河川敷に戻ってからも、手を離さなかった。グラウンドから歓声が聞こえる。鳥が二羽、翼の先を触れ合わせるようにして浅瀬に戻ってきた。

加奈子はコンクリートブロックを伝い歩いて、川の流れのすぐそばまで行った。

舟を、浮かべた。

流れていく。

赤い着物のお雛《ひな》さまと黒い着物のお内裏さまが、寄り添ったまま、ときどき左右に揺れながら、流れていく。

加奈子は舟のあとを追って歩きかけて、立ち止まった。

「カナ！」

和美が涙声で呼んだ。

加奈子は河川敷を振り仰ぎ、まぶしそうに目を細めて、また川に向き直った。遠ざかる舟に、バイバイと両手を振り、その手をゆっくりと戻して、顔を覆《おお》った。

# なぎさホテルにて

1

ドアを開けて駐車場に降り立つと、潮の香りがした。しょっぱさというよりも、えぐみのある苦さの溶けたにおいだ。海に慣れていない麻美《まみ》は「なんか、くさーい」と鼻をつまみ、おにいちゃんの俊介《しゅんすけ》に「ばーか、海なんだからあたりまえだっつーの」と笑われた。

もっとも俊介にしても満ち潮と引き潮の意味を逆に覚え込んでいて、車の中で「陸からひっぱるみたいに海が近づいてくるから、引き潮っつーんだよ」といばって麻美に教えるものだから、ヘアピンカーブのつづく道を運転していた達也《たつや》は笑いをこらえるのに苦労したのだった。

車の後ろにまわった久美子《くみこ》が、カーゴルームから荷物を取り出しながら、「わりと新しいじゃない」と言った。

達也は小さくうなずいて、ホテルをあらためて眺めた。

五階建ての棟が二つ、鳥が翼を広げたかたちにつながったリゾートホテルだ。白い壁はきっと何度も塗り替えられているのだろうが、建物じたいは昔と変わらない。もうすっかり忘れたと思っていて、じっさい東京で記憶をたどっているときにはおぼろげにしか浮かんでこなかったのだが、こうしてホテルの前にたたずんでみると、ああそうだ、ここなんだ、とため息が漏れた。

十七年ぶりになる。

二十歳の誕生日を過ごしたこのホテルで、達也は明日――というより今夜十二時、三十七歳の誕生日を迎える。

「ねえ、パパ」麻美が言った。「海って、どこ？」

「ホテルの向こう側だよ、歩いて十秒で海だ。夏になれば海水浴もできるんだ」

なにげなく答え、久美子に背中を見られているような気がして、「パンフレットに書いてあったんだけど」とあわてて付け加えた。

「泳げる？　今日」

「泳ぐのはまだ無理だけど……雨が降らなかったら、水遊びぐらいはできるよ」

麻美は「やったあ」と声をはずませて、午前中まで雨を降らせていた重い色の雲を見上げた。

六月——梅雨入りしたばかりだ。泳ぐには早いし、近くにゴルフ場やダイビングのポイントがあるわけでもないので、学校が休みの週末でも駐車場には車がちらほらとしか停まっていない。

「パパ、部屋でテルテル坊主《ぼうず》つくっていい？」

「ああ、いいぞ。おにいちゃんと二人でつくれよ」

俊介はそれを聞いて、「だっせーっ」とむくれた。どうせそう言うだろうと思っていた達也は、俊介の頭を軽くつついて笑う。幼稚園の年長組の麻美も小学二年生の俊介も、やることなすこと、わかりやすくていい。

麻美に合わせてゆっくり歩きだしたら、すぐに久美子も追いついて、「『なぎさホテル』なんていうから、民宿に毛のはえたようなものかと思ってたけど、けっこういいんじゃない？」と指でＯＫマークをつくって笑った。

達也は黙って笑い返す。片頬だけゆるめた冷ややかな笑みになった。自分でもそれに気づき、目をすっとそらして麻美に声をかけた。

「波の音、聞こえるぞ。ざばーん、ざばーん、って」

「ほんと？」

麻美は耳をすますそぶりをしたが、その前に俊介が「パパ、ママのことシカトしたでしょ、いま」といたずらっぽく言った。「話しかけられても返事しないのって、いじめなんだよ」

「なに言ってんだ、ちゃんと笑い返しただろ」と達也は俊介を振り向き、久美子も「そうよ、いちいち返事なんかしなくてもわかるんだから」と軽く叱《しか》るように言う。

なあ——と、達也から久美子へ。

ねえ——と、久美子から達也へ。

結婚して十年になる。目配《めくば》せだけで通じることはたくさんある。

「あ、いま聞こえたよ、波の音」

耳の後ろに掌《てのひら》をつけていた麻美が、嬉《うれ》しそうに言った。

残念ながら、それはホテルのすぐそばの松林の梢《こずえ》が風に揺れる音だったのだが。


久美子と子供たちをロビーラウンジで待たせて、達也は一人でフロントに向かった。

「東京の岡村ですが」と告げると、年輩のフロントマンは予約名簿で名前を確認してから、おだやかな笑みを浮かべて「お帰りなさいませ」と言った。気を利《き》かせたつもりなのかもしれないが、よけいなサービスだった。もっと大きな声で挨拶《あいさつ》されたら顔から血の気がひくところだ。

フロントマンは笑顔のまま、達也がカウンターに置いた宿泊優待券を手にとった。

「四名さまでツインルームを二部屋ご利用、でよろしいですね」

「ええ……」

「それで、お誕生日をお迎えになるのは、ご主人のほうで」

「ええ、僕です」

フロントマンは優待券のナンバーを目と指で確かめて、棚から分厚いファイルを一冊取り出した。「一九八三年ですと、まだパソコンを入れてなかったものですから」と場つなぎにしゃべりながらファイルをめくる。

「岡村達也さまですね。前にいらしたのが二十歳のお誕生日でしたから、今年は三十七歳、でいらっしゃいますね」

達也はべつに長くもない髪をおおげさなしぐさで後ろになでつけた。一人でチェックインして、やはり正解だった。

「いかがですか、十七年ぶりの『なぎさホテル』は」

「ええ……まあ……」

「なるべく古いものを残したままにしようというのがわたくしどもの信条ですので、

あの頃とそんなに印象が変わってはいないと存じます」

言われてみれば、エントランスもラウンジもフロントも、昔どおりだ。東京で思いだせなかったのが嘘《うそ》のように、目の前の光景と記憶がきれいにつながる。十七年前にたった一晩泊まっただけの記憶が、いままで気づかなかっただけでちゃんと残っていた、それが嬉しい。そして、嬉しさと同じくらい、寂しい。

宿泊者カードは二枚あった。「お手数ですが、一部屋で一枚ということになっておりますので、奥さまにもお書きいただけますでしょうか」とフロントマンが慇懃《いんぎん》に言う。

ラウンジを振り向いて久美子を呼ぼうとした達也は、ふと思い直して、「僕が書いていいですか」と訊《き》いた。

「ええ、それはけっこうですよ」

「じゃあ……」

ボールペンを握り換えた。力まないように、軽く書きたかった。

〈岡村有希枝《ゆきえ》〉

カードを渡すと、フロントマンはごく自然な笑顔でうなずいた。

十七年前のファイルに、その名前が残っているかどうかはわからない。

ただ、あの日、達也はたしかに有希枝と二人で、若い夫婦になりすまして『なぎさホテル』に泊まった。

大学生の恋人どうしの、ささやかないたずらだった。

すぐそこに見えていた将来の、ささやかな、ささやかな、予行練習のつもりでもあった。

2

一九八三年当時、『なぎさホテル』には、誕生日に泊まった客を対象にしたユニークなサービスがあった。

『未来ポスト』——。

何年先でもかまわない、配達する日付を指定した手紙をホテルに預けておけば、その日に届くように郵便局に出してくれる。言ってみれば、配達付きのタイムカプセルだった。

『未来ポスト』に投函《とうかん》する権利は、誕生日に宿泊した客にしかないが、自分を宛先《あてさき》にするか差出人にするかは自由だった。もちろん、両方を兼ねることも。

達也と有希枝は、それを知っていて泊まったわけではなかった。というより、『なぎさホテル』に泊まったことじたい、偶然だった。

達也は、二十歳の誕生日を有希枝と二人で旅先で過ごしたかった。有希枝は「じゃあ、海に行こうよ」と言った。そもそものきっかけはそれだけのことで、きっかけの軽さが旅行の愉《たの》しさを保証してくれるようにも思っていた。

アルバイトの給料を貯《た》めてそこそこ贅沢《ぜいたく》のできる予算を組み、授業の代返の段取りも立てて、レンタカーはシビックを借りた。目的地も宿泊先も決めなかった。決めてしまうと、なにかとびきりおもしろいものを失ってしまいそうな気がした。

首都高速の分岐点の手前でジャンケンをして、達也が勝ったので伊豆《いず》半島に向かった。有希枝が勝っていれば房総半島に向かい、あいこだったら日本海を目指すことになっていた。

カーステレオでユーミンとサザンを交互に聴いた。それに飽きたら、達也が前の日にレコードを何枚もレンタルして編集した、山下達郎と大滝詠一をA面とB面に割り振ったカセットテープ。

旅行中は夫婦の真似《まね》をしようと言いだしたのはどっちだったのかは忘れてしまったが、これは覚えている、国道沿いのドライブインで料理を注文するときに「わたしはミックスサンドで、主人はナポリタン」と、先にお芝居を始めたのは有希枝だった。信号待ちから発進するときに「あなたぁ」と甘ったるい声を出して、車をエンストさせたのも、有希枝。一九八三年――レンタカーはたいがいマニュアル車だった。

夕暮れになって、ホテルを決めた。電話帳を開いて、「ど・れ・に・し・よ・う・か・な、か・み・さ・ま・の・い・う・と・お・り」で選んだのが、『なぎさホテル』だったのだ。

夕食はフランス料理を食べた。達也にとっては生まれて初めてで、慣れた顔をしていた有希枝も、よく話を聞いてみたら、ファミリーレストランでコース料理を食べたことまで回数に入れてかぞえていた。

シャンパンのハーフボトルを抜いた。食後にバーに寄って、漁火《いさりび》の瞬《また》く夜の海を眺めながら、これも生まれて初めて、トロピカルではないカクテルを飲んだ。なにを飲んだのかは忘れた。小声で「ハイサワーのほうが旨《うま》いな」と言った達也の手の甲を、有希枝は笑いながらつねった。

『未来ポスト』のことを知ったのは、バーのレジで、伝票に記された税金・サービス料込みの金額に驚きながらサインをしているときだった。乾杯のときに有希枝が言った「ハッピーバースデイ」を聞いていたレジ係が教えてくれたのだ。

部屋に戻ると、有希枝はすぐに「やろうよ、おもしろいよ」と言った。

だが、達也の返事は煮えきらなかった。

「来年とか再来年とかに届くんだったらいいけど……」

「だめよ、そんなのじゃつまんないじゃん。二十世紀最後の誕生日とか、それくらい先にしないとおもしろくないでしょ」

二〇〇〇年六月。三十七歳になる。

遠い未来だ。あまりにも遠すぎて、ようやくいま二十歳になろうとしている自分と、三十七歳の自分とが、ひとつながりの時間の流れの中にあるとは思えない。

「わたしからの誕生日のプレゼントっていうことで、いいよね？　いいでしょ？」

何度も言われ、最後は「だったら、わたし、いまから帰る」と脅されて、最後はあきらめ半分で有希枝の好きにさせた。

先にベッドに入った達也が待ちくたびれてうたた寝するまで、有希枝はテーブルに向かって一心にメッセージを書いていた。なにを書いたかは教えてくれなかった。

宛先の住所は横浜にある達也の実家にした。配達日時は、最初は二〇〇〇年の達也の誕生日の前日だったが、有希枝はカウンターの隅に置いてあったカマボコ型の小さなポストに投函する寸前になって、日付を二週間前に書き換えた。

「なんで？」

「だって、三十七歳っていったら、もう学生みたいに身軽じゃないもんね」

少し寂しそうに笑って、封筒をポストに入れた。

「二人で読んで笑おうぜ」と達也は言った。たぶん――いまだから思う、遠い未来が不安だったのだろう。

有希枝は首をかしげて、「そうだね」と気のない声で言った。たぶん有希枝も――十七年後の自分をうまく想像できなかったのだろう。


十七年後。

有希枝がいまどこでなにをしているのか、達也は知らない。有希枝も、達也がどんな女性と結婚して、どんな家庭を築いたか知らないはずだ。

『未来ポスト』からの手紙は、だから、差出人とのつながりをぷっつりと切られたまま届けられた。まるで天気雨のように、それは空の上ではなく半ばから唐突にあらわれて、三十七歳を目前にした達也の暮らしに降ってきたのだった。

3

達也と俊介、久美子と麻美がペアになって、隣り合った二部屋を使うことにした。「男子対女子じゃーん」とはしゃいで言った俊介は、「じゃあさあ、女子の部屋を本部にしようよ」とも言いだした。勉強はあまりできないが、明るいこどもだ。

部屋には十七年前と同じ、ラタンのリビングセットがあった。一人掛けの椅子《いす》はロッキングチェアになっていて、これも昔どおり。海を望むバルコニーにはデッキチェアが二脚と、丸テーブルが一つ。記憶が蘇《よみがえ》った——というほどの強い意識もなく、バルコニーに出た俊介に「椅子の座るところ、二重になってるから、広げたら脚を伸ばして座れるぞ」と声をかけた。

言われたとおりにした俊介は、すぐに「ほんとだ、ベッドみたいじゃん」とはずんだ声をあげた。

達也はロッキングチェアを窓のほうに向けて腰をおろした。椅子の背に体を預けて軽く揺すると、ひさしぶりの遠出のドライブの疲れがじわじわと染《し》み出してくる。

部屋は最上階なので、海岸の松林に邪魔されることなく眺望が開けていた。沖のほうが煙って、曇り空と海との境目がはっきりしない。だが、天気予報によると今夜のうちに天気は回復するらしい。海は東。朝日は水平線からのぼる。そういえば、とベッドを振り向くと、やはり枕元《まくらもと》にカードが置いてあった。翌朝の日の出の時刻を記したカードだ。

トランプの神経衰弱みたいに、一つを思いだすと、次はこれだ、その次はきっとあれだ、というふうに次々に記憶から浮かび上がってくる。

顔の向きを海のほうに戻すと、ちょうど俊介が部屋に入ってくるところだった。

「なんだ、もう飽きちゃったのか?」

「だってさあ、なーんにもないんだもん」

「海があるだろ」

「見てるだけじゃぜんぜんつまんない」

そりゃそうだな、と笑った。十九歳の自分はいまの自分よりも八歳の俊介に近いんだと気づいて、なんだかなあ、と思う。

「ねえ、パパ、ママの部屋に行かない?」

「もうちょっと……休憩してからな。ママと麻美だって、疲れてるから休んでるよ」

俊介は不服そうに喉《のど》を鳴らし、はずみをつけてベッドの縁に腰かけた。

「パパってさあ……」

「うん？」

「ママのこと嫌いなの？」

椅子を少し強く揺らして、「そんなことないよ」と言った。

「じゃあママは？　パパのこと嫌いになったりとかしてない？」

達也は床を蹴《け》って椅子の揺れをさらに大きくして、「嫌いだったら、泊まりがけで遊びになんか来るわけないだろ？」と言った。とぼけた声とあきれた笑顔を、たぶんうまくつくれたと思う。

「先にママの部屋に行ってろよ。パパも煙草《たばこ》一本吸ったら、すぐに行くから」

俊介はベッドから降りて、念を押して尋ねた。

「マジ、ケンカとかしてないよね？」

「だいじょうぶだって。心配だったらママに訊いてみろよ」

俊介に背中を向けたまま、言った。

ドアが閉まる。

オートロックだよな、たしか、ここは。裏返しになった神経衰弱のトランプをまた一枚めくって、達也はジャケットの内ポケットから封筒を取り出した。

有希枝が『未来ポスト』に託した手紙は、ホテルの封筒に入れて支配人名で横浜の実家に届けられた。ダイレクトメールだと勘違いした母親が、それでも律義《りちぎ》に家に電話をかけてきて捨てていいかどうか尋ねた。なぎさホテルの名前を聞いたとき、思わず目をつぶり、ああそうか、と唇が小さく動いた。会社に転送してくれと母親に頼む声は息をひそめた早口になった。

久美子に知られたくなかった。いまの暮らしを気づかったのではない。逆だ。かけがえのない思い出をいまの暮らしに触れさせると、なにかすべてが色あせてしまいそうな気がした。

封筒には、ルームチャージが二割引になる宿泊優待券と〈懐《なつ》かしい一日からのメッセージです〉というワープロ打ちのグリーティングカード、そして一回り小ぶりの封筒が入っていた。

宛名も差出人名もない真っ白な封筒の封を切るために、ひとりきりでバーを二軒まわった。酔いのめぐった頭の中に、忘れ去ったわけではないが思いだすことのなかったひとの顔と、「もしかしたら……」というつぶやきが、ぽつんと浮かんでいた。

有希枝とは、大学を卒業する間際《まぎわ》に別れた。最後の頃は顔を合わせるたびに激しい喧嘩《けんか》を繰り返していたが、いま振り返ってみると、いったいどこがどんなふうにぶつかっていたのか、よくわからない。根本的な衝突ではなかったような気がする。どちらかが「まあいいか」と折れていたら、あの時期をなんとかやり過ごすことができたなら、もしかしたら……。

未練というほど湿っぽくはない。安手の恋愛ドラマのような展開など、期待するほうが愚かだ。

ただ、いまの人生ではない人生を生きていた可能性は、たしかにあった。たいして違いはないのかもしれないが、妻が変われば人生だって変わる。

家族の寝静まった我が家に終電で帰り着いて、酔い覚ましの麦茶を飲みながら封を切った。

十七年前の恋人からの手紙は、〈前略〉と書きだされていた。

〈前略。どうせ太ってるよね。髪の毛はだいじょうぶですか？　そろそろ糖尿やコレステロールが心配になってるでしょ？

37years　oldが目前に迫った感想はどうですか。達也はガキっぽいところがあるから、まだオトナになりきってなかったりして。でも、意外ときっちりオッサンになってたりして。

サザンは解散してませんか？　ユーミンはいまでもユーミンですか？　『オレたちひょうきん族』はまだ放送してますか？　『サザエさん』はやってるでしょ、それくらいはわかるのです（あと、マンガだと『ガラスの仮面』もね）。松田聖子はけっきょく誰と結婚したのでしょうね。

下書きではいろんなことをたくさん書きましたが、清書してると急に恥ずかしくなったので、やめました。

今日はｖｅｒｙ楽しかったです。

でも、夫婦のフリしてても、カンペキにばれてたね。十九才の夫婦ってやっぱりヘンだし、達也はぜんぜんカンロクないし。でも、さっき、フロントにいたおじさんが「奥さま、お休みなさいませ」だーって。カンドーしまくらちよこ、でした。

私はいま、どこにいますか？　達也の隣？　百万光年の遠く？

私たち、夫婦になってる？

会いたいなあ、達也に……（不吉な予感です。しくしく）。

もしも私たちがいま夫婦だったら、「これからもよろしく！」。

そうじゃなかったら、「私のぶんも幸せでいてください」（なんちゃって）。

どっちにしても、達也、幸せだよね?

幸せでいてください。

ねえ、誕生日、『なぎさホテル』に行ってみない? 私が助手席に座ってるかどうかは神のみぞ知る、だけど。奥さんとしてでもいいし、昔の友だちとしてでもいいから、二十世紀最後の「ハッピー・バースデイ」を達也に言ってあげたい。

奥さんと子供さん、見せてね(またまた不吉な予感)。でも、私だってステキなダンナさまと二人で来てるかも……よ〉

だから——来た。

家族には、同僚に宿泊優待券を貰《もら》ったから、と説明した。

子供たちは大はしゃぎだったが、久美子は気乗りのしない様子だった。達也も醒《さ》めた顔で「どっちでもいいけどな」としか言わなかった。

けっきょく金曜日の朝になって出かけることを決めた久美子は、俊介や麻美の隙《すき》を見て達也に言った。

「これが最後の家族旅行になるかもしれないしね……」

達也も心の片隅で、同じことを考えていた。

## 4

海岸を散歩する前に、ティールームに寄った。「もう四時だから、ジュースだけにしとかないと晩ごはん食べられないぞ」と入り口のところで子供たちに釘《くぎ》を刺して、久美子からルームキーを受け取った。

「じゃあ、ちょっとパパ、フロントに鍵《かぎ》を預けてくるから」——子供たちに言う。

「そのへんを歩くだけだから、預けなくてもいいんじゃない？」と久美子が言った。

「でも、暗くなってくるし、砂浜で落としたら探しようがないからな」——まなざしがすれ違う。

「フロントにスペアキーぐらいあるんじゃないの？」

いちいちケチをつけられているような気がして、「おまえに持っていけって言ってるわけじゃないんだから」と舌を打つ。

俊介が、なにか言いたげにこっちを見ていた。

「先に入っててくれ、俺はアイスコーヒーでいいから」

逃げるように踵《きびす》を返して、フロントに向かった。「オレ、メロンのついてるやつね、メロンメロン、メローン」と、俊介の甲高《かんだか》い声が聞こえる。

これ以上両親の間に立たせるのはかわいそうだ、と思う。


フロントには先客がいた。達也と年格好の変わらないカップルがチェックインをしているところだった。

達也は足を止め、二人の後ろ姿を見つめた。女は小花模様のワンピースを着ている。背が高い。ソバージュの髪をレイヤードに変え、ぜんたいの雰囲気をうんと若返らせれば、有希枝の面影が重なりそうで、いや、ちょっと違うな、とも思う。彼女が振り向いて目が合った瞬間にどんな態度をとろうか迷い、迷う自分が少し情けなくもなって、なにやってるんだ俺は、と掌《てのひら》の中のルームキーを強く握り込んだとき、彼女が顔を上げて連れの男を見た。

違った。

掌から力を抜くと、ため息がいっしょに漏れた。

来るはずがないじゃないか——東京を発《た》つ前から、納得はしていた。十七年も前の、思いつきで書いた手紙だ。どうせ有希枝も忘れている。たとえ覚えていたとしても、達也が彼女の立場ならぜったいに来ないし、ほんとうは相手にも来てほしくないと思うだろう。

「お待たせしました」と達也を迎えたのは、チェックインしたときと同じフロントマンだった。ルームキーを預け、『未来ポスト』のサービスがいまもつづいているのかどうか尋ねると、申し訳なさそうに答えが返ってきた。

「五、六年前にひとまず終了させていただきました。おかげさまでご好評をたまわりましたが、今度はお預かりする数が増えすぎてしまいまして、責任持って保管するのが難しくなりまして」

なるほどね、とうなずいてカウンターから離れかけたら、「すみません、岡村さま」と呼び止められた。

振り向くと、フロントマンは預けたばかりの二本のルームキーを両手に持って、胸の前に掲げてみせた。

「岡村さまがお泊まりの部屋はどちらでしょうか」

「524号室のほうですが……」

「かしこまりました。どうぞ、お気をつけて行ってらっしゃいませ」

うやうやしい一礼で見送られた。

有希枝を「奥さま」と呼んだのは、このひとかもしれない。ふとそう思い、十七年前の嘘《うそ》といまの嘘が胸の奥でからんだような気がして、有希枝の顔なんて覚えてるわけないだろ、久美子の名前なんて確かめるわけないだろ、と笑って、足早にロビーを横切っていった。

久美子たちはティールームのいちばん奥まった席にいた。テーブルの上には、俊介のフルーツコンポートと、麻美のプリン、久美子はホットコーヒーを飲んでいた。

「ごめん……ゼリーかなにかでいいと思ってたんだけど、おなかぺっこぺこってシュンもマミも言うから」

さすがに決まり悪そうに言う久美子に、達也は「べつにいいよ」とひらべったい声で答えた。

椅子《いす》に座り、氷が溶けて薄くなったアイスコーヒーを一口啜《すす》る。オーダーだけしておいて「一人遅れてきますから、少しあとで持ってきてください」と言い添えることはできなかったのだろうか。それくらい気が回らないものなのだろうか。

むっとしてジャケットのポケットから煙草を出したとき、テーブルの隅にあるナプキンスタンドに〈NO　SMOKING〉というシールが貼《は》ってあることに気づいた。余白に手書きの小さな文字で〈お煙草はテラス席でどうぞ〉。

「……禁煙席かよ」

十七年前、ここで有希枝と朝食をとったときには、そんな区別はなかった。

「ほんと？　ごめん、気づかなかった」

久美子は真顔で謝った。嘘をついているわけではない。そんな意地悪をするほどこどもじみてはいない。

「いいよ」俊介と麻美のために、笑ってやった。「俺はテラスで煙草吸ってるから。食べ終わったら散歩に行こう」

アイスコーヒーのグラスを手に、海に面したテラス席に向かう。

「マミちゃん、あわてなくていいから、ゆっくり食べなさい」と久美子の声が聞こえ、あてこすりだと受け止めかけて、そこまで言葉尻《ことばじり》をとらえるなよなあ、と自分に少しあきれた。

有希枝が手紙に書いた三十七歳の達也にかんする予想は、二つ半、当たっていた。

十七年間で十三キロ太った。

髪は薄くなってはいないが、代わりに白髪が増えた――これが、半分。

そして、あと七時間ほどで三十七歳になるいまもまだ、おとなになったのかどうかよくわからないでいる。

## 5

久美子が悪いわけではない。濡《ぬ》れて固まった砂を踏みしめて歩きながら、そうなんだよなあ、と声に出さずにつぶやいた。

たとえば妻の査定表のようなものがあるのなら、どの項目にも×をつけるつもりはない。のんびり屋で多少気の利《き》かないところもあるが、そのぶんおおらかで、いっしょにいて肩が凝《こ》るということはない。容姿は十人並みで、ニュースは新聞よりもワイドショーで見聞きし、ドラマには詳しいが字幕付きの映画はまず観《み》ない。仕事のパートナーとしてなら失格だし、休日のデートの相手としても物足りないが、一日の終わりにビールを飲みながら他愛ないおしゃべりに付き合っていると、首の後ろが心地よくほぐれていく。

だから――悪いのは、やはり、久美子ではない。

少し先を歩く久美子は、右手を麻美と、左手を俊介とつないでいた。麻美はもっと砂がさらさらしたところを歩きたいようで、俊介は波に少しでも近づこうとしていた。子供二人が腕をひっぱるバランスが変わるにしたがって、サマーカーディガンを羽織《はお》った背中が左右に傾《かし》ぐ。

そんな姿をきれいだと思えなくなったのは、いつからだったろう。半年、いや、もう少し前からだっただろうか。

久美子が変わったのではない。彼女を見る達也のまなざしが、変わった。これといったきっかけはなく、だから直接の理由など探しても見つからない。少しずつ体内に蓄積された抗原が許容量を超えた瞬間にアレルギー症状が出るのと、似ているのかもしれない。

日付は忘れた。冬だ。夕食後、リビングでテレビを観ているときだった。俊介はゲームボーイで遊んでいて、麻美はお絵描きをしていて、久美子はリンゴの皮を剝《む》いていた。なんの変哲もない、あたりまえの夜だった。酔っていたわけではないし、昼間に仕事のことで厭《いや》な思いをしたわけでもなかった。どちらかといえばむしろ、ささやかな幸せを嚙《か》みしめるほうが似つかわしいリビングルームの光景だった。

だが、テレビの画面からふと目を離し、家族を眺め渡した瞬間、不意に思った。

俺の人生は、これか――。

なーんだ、と拍子抜けするような。

ちぇっ、と舌を打ちたくなるような。

といって、いまさらやり直しはきかない。

そんな人生を自分は生きているのだと、達也はそのとき初めて気づいたのだった。

砂に半分埋まったボートをベンチ代わりに、レジャーシートを二枚敷いた上に、一家四人、並んで座った。ブックエンドのように夫婦で子供たちを挟んで、サイモンとガーファンクルの歌にそんなタイトルがなかっただろうか、べつだん言葉を交わすこともなく、子供たちのおしゃべりに笑ったり相槌《あいづち》を打ったりしながら、海を眺めた。

明日の朝は、入り江の端の岩場に子供たちを連れていってやろう。イソギンチャクやヒトデ、うまくすれば小魚も見つけられるかもしれない。バルコニーのフェンスに結わえた麻美のテルテル坊主《ぼうず》の効き目が、あるといい。

「ねえ、教えてよ、わたし、なにかあなたの気に入らないようなことした？」――冬から春にかけて何度も、同じ言葉を久美子からぶつけられた。ときにはつかみかかってきそうな剣幕で、ときには途方に暮れた顔で、ときには目を真っ赤に染めて。「言ってくれたら、直すから」とつづけて、ダイニングテーブルに突っ伏して泣きだしたことも、あった。

達也が返す言葉も、いつも同じだった。

「違うんだ、そうじゃないんだよ……」

久美子が悪いわけではない。嫌いになったというのでもない。

ただ――久美子を見ていると、むしょうにいらだつ。ささいなことが、いちいち気に障《さわ》る。冬のあの夜以来、久美子に対してそっけない態度をとることが目に見えて増えてきて、季節が春に変わる頃には、同じ部屋に彼女がいるという、それだけで、なにかぞっとするような嫌悪《けんお》感《かん》が胸にこみ上げるようになっていた。

「だから、どういうところが厭なのか、教えてくれれば直すって言ってるじゃない」

「直すとか直さないとかの問題じゃないんだよ」

「なにをやっても、とにかくわたしだから厭なわけ？　そういうのを、嫌ってるっていうんじゃないの？」

「好きとか嫌いとかじゃなくて……違うんだよ、口で説明できることじゃないんだ」

「でも、説明してもらわないと、こっちはぜんぜんわかんないじゃない」

そんなやり取りをしているさなかにも、嫌悪感は次々に湧《わ》いてくる。

もどかしげに顔をゆがめる久美子を、みにくい、と思う。なぜ俺はこの女と結婚したんだろうと思い、この女と一生夫婦でいるのが俺の人生なのかと思い、これは俺の求めていた人生だったのだろうかと思う。

久美子とは同僚の紹介で知り合った。一年ほど付き合って、一生をともに過ごせると思ったからプロポーズした。間違ったところはどこにもない。けれど、筋道がするりと通りすぎる。きれいな声で歌われるきれいなメロディーが意外と耳には残らないように、周囲に祝福され、なんの障害もなく始まった結婚生活の、その始まりの手応《てごた》えがよみがえってこない。忘れてしまったのか。それとも、そんなもの最初からなかったのか。根っこを持たない「いま」がふらふらと揺れて、漂うほどには自由ではなく、そんな「いま」を重ねていくうちに、やがてその先にあるものもぼんやりと見えてくるようになった。

三月の終わり頃、譬《たと》え話を使って久美子に説明したことがある。

「ジグソーパズルって、ある程度までできてきたら、絵柄がわかるだろ。それと同じなんだ。見えたんだ、俺の人生ってこんな形なんだ、意外とつまんないな、って」

「三十六歳で人生悟っちゃったわけ？」

「悟るとか、そんなのじゃなくて、見えたんだよ、見えたのはしょうがないだろう」

「だって……」笑われた。「シュンやマミなんて、あんなにちっちゃいのよ。どんな子になるかもわからないのに」

「子供は関係ないよ、あいつらの人生と俺の人生は違うんだから」

久美子は「無責任だね」とあきれたようにつぶやいた。

言葉が足りなかったのは、達也もわかっていた。だが、どんな言葉を足せばよかったのかが、わからない。

久美子はあきれ顔のまま、訊《き》いた。

「じゃあ、どんな人生がよかったの？」

「……そんなの考えてもしょうがないよ」

「後悔してる？　わたしと結婚したこと」

黙って、かぶりを振った。信じてはもらえないだろうなと覚悟はしていたが、本音だ。後悔できたら楽になれるのにな、というのも本音だった。

「なんか、駄々《だだ》こねてるだけみたい」

ため息交じりに、久美子は言った。困惑と悲しみともどかしさの時期を過ぎて、その頃から、うんざりした顔と声で達也に接することが増えていた。

「離婚してもいいけど」――最初に言いだしたのも、久美子のほうだった。

座っているのに飽きた俊介は、一人で波打ち際《ぎわ》で遊びはじめた。寄せる波をぎりぎりまで迎えて、うひゃあっ、と逃げるのを繰り返す。

久美子と麻美は、さっきからずっと『もしもゲーム』をしている。

「もしもライオンさんが真っ白な体だったら？」と麻美が訊く。

「シロクマさんとお友だちになります」久美子が答える。「じゃあ、もしもシロクマさんの体がシマシマ模様だったら？」

「シマウマさんとお友だちになりまーす！」かんたんじゃん、と胸を張って。「もしもシマウマさんのおなかにポッケがついてたら？」

「うーんとねえ……なんだろうなあ……」

久美子は考えるふりをして、麻美が「わかんない？　わかんない？」と盛り上がるのを待って、「カンガルーさんとお友だちになります」と答えた。

名前どおり、動物を「もしも」でつないで友だちを増やしていく、という遊びだ。幼稚園で教わったばかりらしい。

いかにも幼いゲームだったが、横で聞いているのは悪い気分ではなかった。

「もしも」を楽しくつかえる、というのがいい。こどもの世界から「もしも」の概念がなくなったら、ずいぶんつまらなくなってしまうだろうな、とも思う。

おとなは――逆だ。「もしも」のあとには、ろくな言葉がつづかない。もしも会社をリストラされたら、もしも病気になったら、もしも親の介護をすることになったら、もしも子供たちがいじめに遭《あ》ったら、もしも家族に愛想を尽かされたら……そんな「もしも」を並べていくと、けっきょくのところ、いまがいちばん幸せなのかもな、と気づく。

過去にさかのぼって「もしも」を置いてみる。

もしも俊介と麻美が生まれていなければ、もしもバブルの頃に転職していれば、もしもあと一年遅く、早く、マンションを買っていれば、もしも久美子と結婚していなければ……いまより幸せな人生だっただろうか？

一人で苦笑して、一人で首をかしげ、ホテルのほうになにげなく目をやったら、海岸をこっちに歩いてくる家族連れの姿が目に入った。

遠すぎて、顔はよくわからなかったが、男の子二人はちょうど俊介と麻美ぐらい。寄り添って歩く両親のほうも、たぶん達也や久美子とそれほど変わらない。母親が、いま、笑った。おかしそうに、嬉《うれ》しそうに、父親の背中を軽くぶった。

達也は黙ってうつむき、トレッキングシューズのつま先で砂を少し深く掘った。

「あーっ、ヤバいっ」

甲高い声に顔を上げると、波から逃げきれなかった俊介が、靴を濡らすまいと足を交互に跳ね上げていた。よけいなことすると転んじゃうぞと達也が案じる間もなく、体のバランスを崩して、「わっ、わっ、わっ」の声といっしょに——尻もち。


ぐっしょり濡れた俊介の半ズボンのお尻を、久美子はハンカチと掌《てのひら》で払う。

「なにやってんのよ、だから気をつけなさいって言ったじゃない」

「だってさあ……」

「替えのズボン持ってきてるでしょ、すぐに穿《は》き替えなきゃ風邪ひいちゃうわよ」

さっきの家族連れが、達也たちの前を通り過ぎる。

「こんにちは」と、母親が笑いながら挨拶《あいさつ》をした。

達也も「どうも」と会釈《えしやく》を返す。

有希枝ではなかった。

肩から力を抜いて、達也は立ち上がる。

「シュン、ホテルまでかけっこしよう」

駆け足のポーズをとって、無理に笑った。

# 6

メインディッシュの牛フィレステーキの皿を下げてもらうと、やれやれ、と一仕事終えたような気分になった。

フランス料理のフルコースなど、年に数回、部下や知人の結婚披露宴に招かれるときに食べるくらいのものだが、とぼしい経験の中でも確実に脂《あぶら》っこい料理が苦手になっているのがわかる。

十七年前、有希枝と食べた生まれて初めてのフルコースは、料理も味も覚えていなくても、たぶんあれが一生のうちでいちばん旨《うま》かったフランス料理だろう。

ウェイターが席の近くにいないのを確かめて、「あとで胸焼けしそうだな」と小声で言った。

久美子も「サクロン持ってきてるから」と声をひそめて答える。

「サクロンって、なーに？」

達也の隣に座った麻美が、屈託なく訊いた。

「知らねーのかよ、ばーか、胃薬に決まってんじゃんよお」と俊介は久美子の隣からもっと元気に答えて、下手なコントさながらに親に恥をかかせてくれる。

達也も久美子も子供たちを苦笑交じりに見つめ、夫婦で目が合う寸前、道を譲り合うようにまなざしを横に逃がす。

パパの誕生日の楽しいディナー――を演じた。半年前までと同じように言葉を交わし、笑い合った。俊介が「パパとママ、仲直りしたんだあ」と嬉しそうに言ったときには、まるでリハーサルをしていたみたいに、ぴったりのタイミングで「ケンカなんて最初からしてないよ」「そうよ、なに言ってんの」と返すこともできた。

麻美は散歩に出かける前に、部屋に備え付けの絵はがきセットを見つけたらしい。幼稚園でいちばん仲良しのリエコちゃんに絵はがきを出すんだと張り切っている。ひらがなをやっと覚えて、いまは字を書くのが楽しくてしかたない時期だ。

「いま出しても、月曜日に幼稚園で会うほうが早くなっちゃうわよ」と久美子は言ったが、麻美は「それでもいいから出すの」と譲らない。

「じゃあ書くだけ書いて、明日リエコちゃんちの郵便受けに入れとこう」

達也が言うと、麻美は「パパ、だーい好きっ」と調子のいいことを言い、俊介も「マミはバカだから、オレが書き方教えてやっからよお」といばって言った。

幸せな家族、幸せな夫婦。レストランに居合わせた数組の客にも、それを見てもらいたかった。もしも有希枝がいたら、幸せなんだと思ってくれる、はずだ。

いまは夜八時過ぎ。あと四時間足らず三十七歳になる。こどもの頃のように誕生日が嬉しいということはないが、三十代に入ったばかりの頃に感じた、もう若くはないんだという寂しさや、このまま中年になってしまいたくないというあせりめいたものは、最近は薄れた。

むしろ、いまはもう、早く四十歳になってしまえばいいと思う。ヨンジュウ、シジュウという響きに慣れて、会社の無料ガン検診も受けられるようになって、釈然としないながらも介護保険料を支払って、厄年《やくどし》の心配もするようになれば、なんというか、あきらめのようなものがつきそうな気がする。俺の人生はこれなんだなと認めて、これでいいじゃないかとうなずいて、これのどこが悪いんだよと開き直って、そうだ、中年のオジサンというのはずうずうしいものだと昔から相場が決まっているのだから……。

「お待たせいたしました」

ウェイターがデザートをワゴンに載せて運んできた。達也は椅子《いす》に座り直し、さあ幸せな夫婦のお芝居のカーテンコールだぞ、と自分に言い聞かせた。

十七年前には、デザートは何種類かのケーキやムースやアイスクリームの中から好きなものを選ぶ仕組みだった。

ところが、トレイには小ぶりのホールケーキが一つ載っているだけだった。

「スペシャルデザートです」

ウェイターはそう言って、ケーキをワゴンからテーブルの中央に移した。

バースデイケーキだった。マジパンのプレートが二枚、背中合わせに立っている。淡いブルーと、ピンク。〈パパおめでとう〉とチョコで書いたブルーのプレートは達也のほうに向いていて、ピンクは久美子と向き合う。

「なんでお店のひとも知ってんの？　誕生日のこと」と麻美が驚いて訊いた。

達也はフロントマンの顔を思い浮かべ、サービスとおせっかいの区別ぐらいつけろよなあと心の中でこぼしながら、「さっき教えてあげたんだよ」と言った。

久美子をちらりと見た。反応はなかった。ただ、ピンクのプレートをじっと見つめていた。

「パパ、そっちなんて書いてるの？」と俊介が言った。

達也に代わって麻美がチョコの文字を読み上げ、「そっちは？」と聞き返した。

「英語だからわかんねーけど、なんかハートマークついてる」

小皿の用意をしていたウェイターが、「パパがママにプレゼントした言葉なんだよ」と俊介に声をかけた。

「えーっ、マジ？　ねえ、読んで読んで、英語読めるんでしょ？」

「じゃあ、いい？　アイ・ラブ・ユー、フォーエバー……永遠に愛してます、っていう意味なんだけど、それで、下に書いてあるのがママの名前で……」

まずい、と思った。止めようと口を開いたときには、ウェイターはもうプレートの名前を読み上げていた。

「ユ・キ・エ」

一瞬、すぽん、と抜け落ちたような沈黙がテーブルに流れた。

「うっそだーっ」俊介が笑う。「名前、違ってんじゃん、これ」

「え？」――ウェイターの驚いた視線を受けても、久美子はプレートを見つめたまま、なにも言わない。

「ママの名前、クミコなんだよ」と麻美が唇をとがらせた。

「は？」――ウェイターは、今度は達也に困惑の視線を送った。

達也は家族の誰にも目を向けず、どんなに吸い込んでも喉《のど》の手前でつっかえてしまう息を、それでも深く吸って、吐いて、わななきそうになる唇を嚙《か》んだ。

「いいんじゃない？　これでも」

久美子が言った。

明るく、軽く、笑いながら――けれどピンクのプレートを見つめたまま。

「せっかく書いてもらったんだし、べつに久美子じゃなくても、ほら、パパの気持ちって、ママはちゃんとわかってるもん」

達也は唇を噛みしめる。恐縮しきった様子で逃げるように立ち去るウェイターをちらりと目で追って、顔を戻し、閉じかけた瞼《まぶた》でつくった薄い暗がりのなか、テーブルクロスの縫い目を見つめた。

久美子にひどいことをしたんだと、いまになって気づく。ひどいことばかりしてきたんだと、すべてが手遅れになってから、わかる。

7

久美子は最後まで幸せな夫婦のお芝居をつづけた。達也も居たたまれなさを押し隠してケーキを頬張り、俊介のおどけた食べっぷりを笑い、麻美が顎《あご》につけた生クリームを紙ナプキンで拭《ふ》き取ってやった。

だが、ケーキをたいらげて、デミタスカップの底に残っていたエスプレッソを飲み干すと、久美子は長く尾をひく息をつき、醒《さ》めた目で達也を見た。

「先に部屋に帰っててていい？」

抑揚のない声——お芝居は、終わった。

「早くシャワー浴びて、横になっちゃいたいし……鍵《かぎ》、くれる？」

俊介が「ママ、ぐあい悪いの？」と心配そうに訊《き》き、「早く食えよ、グズ」と麻美を叱《しか》った。

久美子はなだめるような笑顔を浮かべたが、もうお芝居には戻らず、「ごめんね」ともう一度言って席を立った。

達也はあわてて中腰になってジャケットのポケットを探り、二本あるうちの一本のキーを渡した。

久美子がレストランを出たあとで、ポケットに残ったキーを見て、ため息交じりに肩を落とした。

キーを間違えて渡してしまった。

俊介に届けさせようかと思ったが、やめた。どうせシャワーは口実で、一人になればどっちの部屋でもいいのだろうし、そのまま部屋を代わってもかまわないし、なにより、お芝居を終えたあとの久美子の顔を俊介に見せたくなかった。

俊介は、いつか両親のお芝居を責めるだろうか。身勝手な父親を恨《うら》むだろうか。それとも、すべて、笑いながら話せる思い出になってくれるだろうか。

三十七歳になった俊介に会いたい。いまはもう故郷の墓に入ってしまった父の、三十七歳だった頃の気持ちを知りたい。

こどもの頃は数えきれないほどあった「もしも」の選択肢がどんどん減っていくのを肌で感じ取り、といって、まだ選択肢がすべてなくなってしまったわけではない、そんな中途半端《はんぱ》な数年間を、父はどう乗り切ったのか教えてほしかった。俊介がそれにどう立ち向かっていくのか、見てみたいと思う。

そして、麻美の夫が三十七歳になって、いまの自分と似たような駄々をこねて、麻美につらくあたったなら……「その気持ち、よくわかるよ」とひとつうなずいてから、横っつらを張り飛ばしてやろう。

五階でエレベータを降りると、ホールに久美子が立っていた。「なんだ、いま降りていこうと思ってたのに」と少しあわてた声で言う。

「部屋の鍵、間違ってただろ」

達也は久美子に正しい鍵を差し出して、「ごめんな」と詫《わ》びた。

するとと久美子は、そんなのどうでもいいからという顔になって、「ちょっと来てくれる？」と達也を手招いた。「あなたの部屋に手紙があったの」

「はあ？」

「ユキエさんの正体、わかっちゃった」

嬉《うれ》しそうに、言った。


俊介と麻美を「絵はがき書くんだろ？」と隣の部屋に行かせ、久美子を追って部屋に入った。

手紙は、ドアの下の隙間《すきま》から入れられていたのだという。『なぎさホテル』の封筒の中に、もう一通、宛名《あてな》も差出人もない封筒——間違いない、『未来ポスト』だ。

「ごめん、表になにも書いてないから、開けて読んじゃったんだけど……ユキエさんからだったの」

達也は混乱した頭を落ち着かせられないまま、手紙を受け取った。

「わたしも、ここにいていい？」

「いいけど……」

有希枝との関係について問いただされるのだろうと覚悟して、げんなりもした。だが、久美子は「読んだあとのあなたの顔を見せてほしいの」と言って、バルコニーに出た。

達也は頭をさらに混乱させて、立ったまま便箋《びんせん》を広げた。やはり有希枝の文字だ。書き出しの言葉は、〈ほんとに来ちゃったの？〉だった。

〈ほんとに来ちゃったの？　なんて、あなたが今夜ここに泊まらなければ、この手紙を読むことは永遠にないわけなのですが。

泊まってる（かもしれない）部屋に送る手紙なんて、『未来ポスト』の歴史の中でも初めてかもね。ちゃんとディナーの後に届けてくれたかなあ。

いま、私は（達也もね）30才です。

冬です。さっきまで小雪が舞っていました。冬の海も静かでいいものです。

お元気ですか？　（30才の達也にではなく、いま、これを読んでいる、37才の誕生日を迎える直前の達也に）

どうせ無理だろうなと思って書いたのですが、ほんとに来てくれるとは思いませんでした。ありがとう。

でも、あんな手紙の誘いに乗ってくれるなんて……ひょっとして、達也、37才になろうってのに、まだ独身？　私のことが忘れられなくて？

なーんて、そんなことないよね。もう結婚して、子供もいるよね。

幸せですか？

勝手な想像で悪いけど、この手紙を読んでるってことは、なんか落ち込んだりしてるんじゃないの？　（グサッと来た？）

もしそうだったら、元気出して。

達也はすぐにイジケちゃうところがあるけど（そこがヤだったんだなあ、昔は）、まあ、がんばろうよ、ね。お互い。

肝心なことを忘れてました。今夜は、私の誕生日です。『未来ポスト』の手紙はとーぜん自分宛てなんだと思いこんでいたオヤジは、いま、スネてビールを飲んでます。でも、いいヤツです。

来月、私はこのひとと結婚します。30ヅラさげて、ウェディングドレスを着るんだよ。笑いものだー。

もっと肝心なことを忘れてました。

２０００年の誕生日にこのホテルで会えるかどうかわからないから、いまのうちに言っておきます。

ハッピー・バースデイ！〉

バルコニーに出て、久美子の隣のデッキチェアに座った。有希枝のことを説明しようと思ったが、胸がいっぱいでなにも話せない。

潮騒《しおさい》が聞こえる。海の闇《やみ》は、夜空よりも深い。昼間見当をつけていた水平線の、ずっと先のほうに漁火《いさりび》が見えた。

「プレゼント、今年は買ってないけど」

ぽつりと言う久美子に、達也も静かな口調で「いいよ、そんなの」と応《こた》えた。

「会えたの？　今日」

「いや……来てなかった」

「会いたかった？」

少し考えて「ちょっとだけな」と言うと、久美子は「わたしも、ちょっとだけ会ってみたかったな」と笑った。

達也はデッキチェアから降りて、伸びをしながら、「でも」と言った。「俺の人生は、これ、だよ」

久美子は「シュンとマミの部屋に行ってあげなきゃ」とつぶやいて体を起こした。

隣の部屋のチャイムを鳴らすと、俊介が笑いながらドアを開けた。よほどおかしいことがあったのか、顔を真っ赤にして、脇腹《わきばら》をおさえ、目には涙まで浮かべていた。

「シュンちゃん、どうしたの？」と久美子が訊く。

「だってさあ、マミがバクショーさせてくれるんだもん。あいつ、ちょーバカ」

麻美は、ドレッサー兼用のデスクの前でふくれつらをしている。

「絵はがき書いてたんじゃないのか？」と達也。

「だからぁ、その絵はがきがバクショーモンダイなわけ、見てよ、パパもママもぜーったい笑うから」

ベッドの上に書きかけの絵はがきがあった。「これか？」と手に取って、久美子と左右から覗《のぞ》き込んだら、俊介の言うとおり、ただし俊介の狙《ねら》いとは少しずれたところで、二人ともプッと吹き出してしまった。

書き出しが――〈ついしん〉。

「シュンちゃん、あんたねえ、知ったかぶりして間違ったことをマミちゃんに教えるのやめてって言ってるでしょ」

「うそ、マジ？『ついしん』じゃなかったっけ？」

一気に旗色の悪くなった俊介を、麻美は「やーい、おーうそつきーっ」と囃《はや》した。

つづきを読んでいった達也と久美子は、今度は腹を抱えて笑いだす。

〈ついしん　りえちゃん、おげんきですか。わたしはいま、さなぎホテルに〉

「ね、たまんないよね」俊介はベッドにとび乗った。「カイコじゃないっつーの」

「そんなこと言わないの、誰だって間違えることはあるんだから」

「いねーってば、そんなバカ」

泣きだしそうになった麻美を、達也は右手で抱き取った。

左手の絵はがきを、もう一度……二度、三度と読み返すと、俊介や麻美をからかうのとは違う笑みが浮かんだ。悪くない。〈ついしん〉で始まる手紙。〈さなぎホテル〉。まったく、悪くない。

人間はもちろん――麻美だって知っている、さなぎにはならない。だが、もしかしたらそれは体だけのことで、心はわからない。こどもからいっぺんにはおとなになりきれず、さなぎの時期を過ごすひともいるのかもしれない。

「マミ、このはがき、パパにくれよ」

「……いいけど？」

「パパの宝物にするから」

まず麻美に、それから俊介に微笑《ほほえ》みかけた。子供たちは二人ともきょとんとしていた。「だいじにとっとくから」と声に出して言うと、顔を見合わせてくすぐったそうに肩をすぼめる。

久美子を振り向いた。目が合った。なにか言おうとして振り向いたはずなのに、正面から久美子を見つめてしまうと、苦笑いしか浮かばない。照れ笑いだったかも、しれない。

久美子は黙って達也の手から絵はがきを取って、すっと目をそらし、子供たちに向き直って、言った。

「ねえ、だったら、『パパおめでとう』って書いちゃわない？」

俊介も麻美も賛成して、さっそく三人はメッセージを書き込んでいった。

〈お誕生日おめでとう〉と久美子。

〈ハゲないでください〉と俊介。

麻美は〈おめでとう〉の横に、チョウチョも描いてくれた。

「はい、パパ」と俊介は賞状かなにかのようにうやうやしく絵はがきを返した。達也は少し照れて、小首をかしげながらチョウチョを指差した。

「俺も早くチョウチョにならなきゃなあ」

久美子が、知ーらない、というふうにそっぽを向くのと入れ替わりに、麻美がまた頰をふくらませて「ひっどーい」と達也をにらんだ。

どうやら、このチョウチョ、ハートマークのつもりだったらしい。

# かさぶたまぶた

1

思い過ごしかもしれないけど、なんとなくだけど、本人に確かめたわけじゃないんだけど、と前置きが長かったわりには、いざ話しだした綾子《あやこ》の口調にはそれほど迷いはなかった。

政彦《まさひこ》は妻の話に小刻みに相槌《あいづち》を打ち、一段落つくのを待って、「俺もそう思ってたよ」と言った。腕組みをして、テーブルの上のティーバッグの箱をじっと見つめ、少し重い口調をつくる。「この二、三日、様子が変だったからな。なに落ち込んでるんだろうと思ってたんだ」

「あなたも？」

「それくらいわかるさ」笑った。「親なんだから」

「じゃあ……やっぱりそうなんだ」

綾子は一瞬だけほっとした表情になり、しかしすぐに、「勘違いだったらよかったんだけど」と、話を切りだす前の沈んだ顔に戻った。

「勘違いなんかじゃないよ。だって、サインが出てただろう？　俺だって感じたぐらいなんだから、おまえはもっとわかってただろ」

「そうでもないんだけど、ほんとうに、なんとなく、だったのよね」

「頼りないこと言うなよ」

「それはそうだけど……」

「俺はすぐわかったぞ」

ミステリードラマの名刑事が謎解《なぞと》きを披露するように、政彦は言った。

「テレビを観《み》てるときに笑うだろ、それがちょっと不自然だったんだよな。声がいつもより細いし、甲高《かんだか》いし、ああ無理して笑ってるんだな、って」

綾子は、そうだったっけ？　というふうに小首をかしげる。

キッチンから笛吹きケトルの音が聞こえて、話は途切れた。

スリッパをぱたぱた鳴らして綾子がキッチンに入ると、リビングに一人残った政彦は腕組みを解いて、ため息をついた。

肩から力を抜く。ソファーの背に体を預け、足を床にだらんと投げだす。頭の奥なのか胸の奥なのかはわからない、とにかくどこかで表情や口調を内側から支えていたつっかい棒を、そっとはずした。

リビングの真上は子供たちの部屋だ。兄の秀明《ひであき》も妹の優香《ゆうか》も自分の部屋にいるはずだが、三年前に建てたコンクリート建築の我が家は壁も床も厚すぎて、二階の気配はほとんど伝わってこない。

政彦は顎《あご》を上げて、天井をぼんやりと見つめる。

嘘《うそ》をついていた。つまらない見栄《みえ》を張った。笑い声の話は、いま、とっさに考えたものだ。

優香が最近どうも元気がないようだというのも、綾子の「なんとなく」よりももっと淡く、ぼんやりとしていて、綾子の話を聞いて初めて「そういえば」と思い当たったような気がするし、ほんとうは思い当たる節さえないのを無理に話を合わせただけなのかもしれない、とも思う。

最近――四十代半ばにさしかかってから、こんなことが増えた。

調子が悪い。

もともと、子供たちのちょっとした変化を見抜くことには自信があった。平日は残業つづきで、秀明や優香と顔を合わさないことも多いが、だからこそ、子供たちの発するサインはどんなささいなものでも見逃すまいと心がけていた。

中学時代の秀明が野球部のレギュラーからはずされたときも、小学校に入ったばかりの優香が通学路の途中にある家の飼い犬に吠《ほ》えたてられたせいで、一人だけ遠回りして登校していたときも、綾子が「最近あの子ちょっと変じゃない？」と言いだすのを待ちかねるようにして、「俺もそう思ってたんだ」とうなずくことができた。

綾子はそのたびに「よく見てるわねえ」と感心するが、それくらい親なのだから当然だと思っていた。「お父さんにはなんでも見抜かれてるんだからね」と綾子が子供たちに言うのを、少し照れながら、まんざらでもなく聞く――ほんの二、三年前までは、それがあたりまえだったのだ。

綾子のスリッパの音が近づいてくる。政彦はソファーに座り直した。足を引き、腕組みをして背筋を伸ばし、肩を張って、表情と口調のつっかい棒を立てる。

ティーポットとカップを載せたお盆を持って戻ってきた綾子に、「いま思ったんだけど」と声をかけた。「やっぱり、それ、おまえの考えすぎなのかもしれないぞ」

綾子は困ったように笑うだけで、なにも答えなかった。

優香は私立中学に合格したばかりだった。「御三家」と呼ばれる名門の女子校に受かった。四年生の夏からがんばってきた受験勉強も終わって、あとは卒業、それから入学を待つだけの、いまはいちばんのんびりした時期だ。ふさぎ込む理由など、どこにもないはずだ。

ティーバッグの中のミントの葉が、ポットのお湯に蒸らされて広がり、すうっとする香りが湯気とともにたちのぼる。

ミントティーをリクエストしたのは政彦だった。綾子から「ねえ、ちょっといい？」と相談事を持ちかけられたときは、たいがいそうする。ミントのリラックス作用に実際どれくらいの効果があるかは知らないが、冷静でいるに越したことはない。

なにごとも感情的になるのは嫌いだ。子供のことを話すときは、なおさら。あわてふためいて、ただ自分が早く安心したいために多感な時期の子供を問い詰めていく、そんな愚かな父親にはなりたくない。

「受験が終わって気が抜けたのかもしれないし、憧《あこが》れてた学校に入ることが決まって、マリッジ・ブルーみたいになってるのかもしれないな。卒業したら友だちとも離ればなれになっちゃうから、それが寂しいのかもしれないし、あと……」

思いつく理由をいくつか挙げてみたが、綾子はもっと具体的なことを考えていた。

「友だちと、なにかあったのかしらね」

「そんなことないだろ、この前だってみんなといっしょに『風の子学園』に行ってるんだから」

「そうよねえ……」

『風の子学園』というのは、バスで二十分ほどの距離にある聾《ろう》学校だ。将来は福祉の仕事をやりたいという優香は、中学受験が終わると、仲良しの友だちを誘って『風の子学園』に出かけた。

政彦には、受験のことよりもむしろそっちのほうが嬉《うれ》しかった。クラス担任の岡本《おかもと》先生も感心して、「『風の子学園』との交流をこどもたちのほうから提案してきたのは初めてなんですよ」とわざわざ家に電話をかけてきた。思いやりのある優しい子になってほしいという親の願いを、優香はちゃんと叶《かな》えてくれている。

児童会長に、ボランティア委員会の委員長、子供会の班長もつとめ、来月の卒業式では総代で答辞を読むことにもなっている。優香はそういう女の子で、だから、学校でなにかあって落ち込んでいるとは、政彦にはどうしても思えない。

「秀明が落ち込むんだったら、まだわかるけどね」

綾子はポットを覗《のぞ》き込んでお茶の色を確かめながら言った。

「あいつはそこまで繊細じゃないよ」と政彦は苦笑する。

つい最近まで、我が家には受験生が二人いた。大学受験に挑んだ秀明は、四月からも受験生のままだ。狙《ねら》っていた大学はもとより、模試では合格確実だった滑り止めまで、すべて落ちてしまった。一発勝負に弱く、中学や高校も第一志望の学校ではなかった。もっとも、本人は「一浪なんて『ひとなみ』だから」としょげた様子はない。のんびり屋の楽天家で、そこが親としてもどかしいところでもあり、救いでもある。

政彦はゆっくりとミントの香りを嗅《か》いで、「心配しないでいいよ」と言った。「万が一、学校で困ったことがあったとしても、優香なら自分ですぐに解決できるんだから、へたに俺たちが騒ぐとかえってよくないんだ」

「そうね……」

あいまいな綾子のうなずき方に、「優香によけいなこと訊《き》いたりするなよ」と念を押したが、今度もはっきりとした反応は返ってこなかった。

「心配性だなあ」と政彦は笑って、お茶を啜《すす》った。俺の考え、間違ってないと思うんだけどな――つぶやきを飲みくだすと、ミントの青くささが鼻に抜けた。

酸《す》っぱいような、苦いような、えぐみがあるような、ないような……ミントティーを旨《うま》いと思ったことなど、一度もない。

## 2

一年がかりで準備を進めてきたイベントが、スポンサーの意向で中止になった。演出プランの詰めも終わり、三カ月後のゴールに向けてラストスパートだ、とスタッフに発破《はっぱ》をかけた矢先の決定だった。

担当役員に呼ばれてそれを知らされた政彦は、自分の席には戻らず、会社の近くのコーヒースタンドに入った。オーダーしたのはホットミルク——カルシウムには、いらだちを鎮《しず》める作用がある。

ミルクを飲みながら、企画の起《た》ち上げから中止決定に至るまでの流れを思いだせるかぎり細かく、冷静にたどってみた。いくつかの齟齬《そご》や衝突、妥協やミスはあったものの、全体としては自分の仕事に落ち度はなかった。広告代理店の企画部で二十年余りイベントを手がけてきた経験からいっても、じゅうぶんに満足できる。

運が悪かっただけだ、とうなずいた。とにかく俺は与えられた仕事にベストを尽くしたんだ、とマグカップに残ったミルクを飲み干した。

近いうちに関係者を集めて慰労会を開いたほうがいいだろう、とシステム手帳を開き、スケジュールの空きを探した。三月二十二日の夜は空いていたが、隣の二十三日の欄に〈優香　卒業式〉とある。ここはだめだな、とページを繰って三月の頭に戻り、ゆうべの綾子の話を思いだして、軽く舌を打った。

小学六年生の女の子がふさぎ込む理由など、考えだせばきりがないし、考えすぎるとあとで拍子抜けしてしまう。綾子は最後まで心配顔のままだったが、「知らん顔しておいてやるのも、親の度量だぞ」と少し声を強めて話を終えた。

間違っていない、はずだ。空のマグカップを口に運びかけて、自信をなくすなよと自分を笑い、もう優香のことを思いだすのはやめた。

三月の半ば過ぎで日を空けようと決め、スケジュールを調整していたら、携帯電話が鳴った。

若手スタッフのまとめ役の武藤《むとう》の声が飛び込んでくる。

「橋本さん、いま、いいですか？」——部下には役職で呼ばせないようにしている。

武藤は「部長から聞きました」と悔しさを隠さずに言った。

「すまん。俺の力不足だった」

落ち着いた声がうまく出てくれた。ミルクは、やはり、効く。

「……僕らはいいんですよ、橋本さんがいちばん悔しいんじゃないんですか？」

「悔しいさ。でも、しかたないだろう。俺たちはベストを尽くしたんだ、あとはもう運命みたいなものなんだから」

「でも……」

「悔しさは、次の仕事にぶつけよう。人脈とノウハウを増やしたんだと思えば、この仕事だってまんざら無駄働きでもなかったんだから」

そうだよな、そのとおりだよ、と自分の言葉に自分でうなずいた。こどもが膝《ひざ》の擦《す》り傷《きず》に唾《つば》を塗り込むように。

電話を切ったあと、二杯目のホットミルクを注文するために、脚の長いスツールから降りて、カウンターに向かった。胸を張って颯爽《さっそう》と歩けた、と思う。つっかい棒は、ちゃんと、体の奥深くで顔と声を支えてくれている。

翌日から、イベント中止の後始末で駆けずりまわった。数えきれないくらい頭を下げて、やっかいな交渉をいくつもこなし、会議と日帰り出張と精算とメールのチェックに追われて、終電に飛び乗るのがやっとの忙しさがつづいた。

帰りの遅い日は先に寝てていいぞ、と昔から綾子には言ってある。そのかわり子供のことでなにかあったらその日のうちにちゃんと俺に教えてくれよ、とも。

だから、真っ暗なリビングに帰り着くのは、とりあえず今日も我が家は平穏無事という証《あかし》だった。

一人で夜食を食べていると、高校の卒業式を終えたばかりの秀明がたまにリビングに降りてくることがある。たいした話はしない。「お帰りなさい」「おう、ただいま」の短い言葉を交わすと、秀明は冷蔵庫からなにか食べるものを見つくろって、すぐに自分の部屋にひきあげてしまう。

寂しいといえば寂しいが、そのほうが気楽といえば気楽で、２ＤＫの賃貸マンションから始まった四人家族の歴史は、こんなふうにして徐々に終わりを迎えていくのかもしれない、という気もする。

三月の半ばに入って、ようやく忙しさは峠を越えた。

担当役員への報告を終えた夜、終電で帰宅した政彦は、入浴と着替えを手早く終えるとウイスキーの水割りをつくった。ソファーに寝ころんでウイスキーを啜ると、アルコールが体に染《し》みていくのと入れ替わりに、「終わったなあ……」とつぶやきが漏れる。

後始末はきれいにできた。事務的な処理はもちろん、愚痴や泣き言を口にすることなく、投げやりにも卑屈にもならず、ねばり強く、誠意を持って、今回のイベントにかかわったすべての企業とひとに接して、明日の慰労会になんとか間に合った。

理想的だ。なにも間違ってはいない。他人に自慢するつもりはないが、ただ自分自身に対して、それを誇りたい。

ウイスキーをもう一口啜ったとき、階段を降りてくる足音が聞こえた。

鼻歌交じりにキッチンに入って冷蔵庫のドアを開ける秀明に、「なにかツマミになりそうなものないか？」と声をかけた。

「クッキーあるよ」

あきれて笑った。秀明はそういうところがまったく疎《うと》い。アルコールに極端に弱い体質なのか、中学生の頃に政彦がビールを飲ませたらグラス一杯で顔が真っ赤になり、「目がまわる」と言いだして、こてんと眠ってしまった。以来、高校の友だちとこっそり居酒屋に出かけても、ウーロン茶しか飲んでいないらしい。

「お父さん、どうする？　クッキーいらない？」

「……そうだな、二、三枚でいいから持ってきてくれよ」

ツマミはどうでもいい。たまには息子とゆっくり話したかった。

だが、クッキーをテーブルに置いて立ち去ろうとする秀明を呼び止めて、「夜食だったらここで食えよ。お父さんも付き合うから」と座らせてはみたものの、いざ向き合ってしまうと、なにをどう話していいのかわからない。

逆に、秀明のほうがクリームパンを頬張《ほおば》りながら「最近、忙しいね」と軽い口調で話しかけてくる。

「まあな、ちょっとばたばたしてたんだ」

「ばたばたって？」

「うん、まあ……いろいろだな。それより、おまえ、こんな時間まで勉強か？」

「ゲーム」

「……春期講習、もう始まってるんだろ」

「だってさあ、予備校めっちゃキツいんだもん。夜ぐらい息抜きしないと死んじゃうよ、マジ」

「なに甘いこと言ってんだ、二浪目からはもうお父さん面倒見ないぞ」

秀明はヘヘッと笑い返した。

「勝負は来年の二月なんだから、いまからあせってもしょうがないじゃん」

明日の夜は、高校の友だちと飲み会なのだという。のんきなものだ。だが、高校生ぐらいの少年がたった一度の挫折《ざせつ》で自殺したり、自暴自棄になったすえに犯罪に走ったりというニュースを見聞きするたびに、そんな心配をしないですむだけでもありがたいのかもな、と思えてくる。

「まあ、おまえは自分のペースでがんばればいいよ」

政彦は苦笑交じりに言った。

「はいよっ」と秀明はおどけて答え、ふと思いだしたように「お母さん、起きてこなかった？」と訊いた。

「いや、寝てるんだろ？」

「あ、そう……じゃあ、べつになんでもなかったのかな」

「どうしたんだ？」

「九時過ぎだったと思うんだけど、優香の学校からお母さんに電話かかってきたんだよね。電話切ったあと、優香の部屋でなんか話しててさ、ちょっと深刻っぽい話みたいだったんだけど」

「……深刻って、どんなふうにだ」

「わかんないけど、なんとなくっていうか、伝わるじゃん、そういうのって」

言葉とは裏腹に、たいして深刻さが伝わっていないような顔の秀明は、「でもお父さんに言ってないんだったら、たいしたことないんじゃない？」と言った。

そうだと政彦も思いたい。そうでなければ困る。

秀明は、「もうちょっとがんばるかな」とひとりごちて立ち上がった。

「ゲームがんばったって、しょうがないだろう。勉強しろよ」――声が不機嫌になったのが、自分でもわかった。

## 3

翌朝、日課のジョギングに出かける前に、電話のことを綾子に訊いてみた。

「岡本先生と謝恩会の打ち合わせをしてたのよ」

保護者会主催の謝恩会の幹事に選ばれたのだという。電話のあと優香の部屋で話したのも、先生に渡す招待状づくりのことだったらしい。

「秀明って、自分のことだとのんきなくせに、変なところで心配するんだから」

綾子はあきれ顔で言った。嘘《うそ》をついているようには、見えない。

「優香は、どうだ？　まだ元気ないか？」

「そんなことないみたい。もうだいじょうぶなんじゃない？」

「……あっさり解決しちゃったんだな」

「そういうものよ、小学生なんて」

なにか、自分が言うべき台詞《せりふ》を綾子に取られてしまったような気がした。返す言葉をとっさに見つけられず、少し黙ったら、綾子は「あなただって毎朝見てるでしょ、ぜんぜん変なところないじゃない」と言った。

「でも、朝飯のときだけだからなあ」

「すれ違うだけでも子供のことはわかる、って言ってたの誰だっけ?」

からかうように言われた。

「昔の話だろ、それは」と政彦は苦笑いでかわして、ウインドブレーカーのジッパーを引き上げた。

玄関でジョギングシューズを履きながら、二階で秀明と優香を起こす綾子の声を聞いた。いつもと変わりない口調だった。それでも、少し明るすぎるかもしれない。さっきのやりとりも、いま思いだしてみるとテンポがよすぎて逆に不自然だったような気がしないでもない。

綾子はもっと心配性だったはずだ。政彦が繰り返し「だいじょうぶだよ」と言って、ようやく小さくうなずくのが、いつものパターンのはずだ。

わからない。綾子の表情やしぐさから本音が読み取りづらくなっている。

子供のことが少しずつわからなくなるのは覚悟している。秀明や優香だって成長するんだから、と思えば納得もいく。

だが、綾子は――。

長年連れ添ってきたのに、昔よりわからないところが増えてきた？

冗談じゃない。


ジョギングを終えて家に入ると、ダイニングには秀明しかいなかった。

「お母さんと優香は？」

「まだ二階にいるんじゃない？」

秀明はインスタントのコーンスープにお湯を注ぎながら、あいかわらずのんびりした声で言った。

「さっき起こしてただろう」

「でも、まだ降りてきてないもん」

嫌な予感がした。顔を拭《ふ》いたタオルを椅子《いす》に掛けて、ダイニングを出た。

「汗くせーっ、お父さん、タオルこんなところに置かないでよ」

のんきすぎる息子の相手をする余裕など、ない。

優香の部屋のドアは閉まっていた。話し声は聞こえない。だが、それはからっぽの静けさではなかった。政彦の足音に気づいて話をやめ、じっと息を詰めて、身をすくめている、そんな沈黙の重さが廊下にも滲《にじ》み出ていた。

ノックを、三回。はやる気持ちを抑えて、ゆっくりと叩《たた》いた。

少し間を置いて、綾子が「はい」と返事をした。声は高かったが、震えていた。

「優香は、そこにいるのか？」

返事はない。

「もう七時半だぞ、朝ごはんいいのか？」

「だいじょうぶ、すぐに降りるから」——答えたのは、今度も綾子だった。

政彦はドアのレバーに伸ばしかけた手を途中で止めた。落ち着け、と自分に言い聞かせた。父親としていちばん正しい行動をとるんだぞ、と命じた。

肩を揺すって力を抜き、あらためてつっかい棒を立てた。

「ちょっといいかな、入るぞ」

ドアを静かに開けると、パジャマ姿のままベッドに腰かけた優香が最初に目に入った。綾子はフローリングの床に敷いたラグに座っている。

二人とも、うつむいていた。政彦が入ってきても顔を上げなかった。

「……今日、学校、あるんだよな？」

秀明のように軽くのんきに言いたかったが、できなかった。

「もうすぐ卒業だなあ」

なにを言ってるんだろう、と自分が情けなくなり、つづく言葉はもう出てこなくなって、窓際《まどぎわ》の勉強机に目をやった。

赤いランドセル。その隣には、絵を描きかけの小さな画用紙——絵の上に、黒い絵の具で大きな×印があった。顔の絵だった。目鼻や口はまだだったが、髪と顔の形はできあがっていた。卵形の顔に、左右で分けてピンクの玉のついたゴムで留めた長い髪。

「これ……優香の顔か？」

部屋の空気がきゅっとすぼまった。

「失敗しちゃったのか」

優香の肩が揺れた。泣いてるのか、と気づく間もなくベッドに突っ伏して全身を震わせる。

たじろいだ政彦に、外に出て、と綾子が目配《めくば》せする。

動けずにいたら、ラグから立ち上がって、にらむようにもう一度——いいから早く、外に出て。

政彦はあとずさった。こんなふうに強く綾子に指図《さしず》されたのは初めてだった。追いかけて、綾子もすぐに廊下に出た。「ゆうべ寝るのが遅かったみたいだから、少し休ませるから」と早口に言って、下に降りてて、とまた目配せする。黙って綾子に従った。というより、綾子に決めてもらった道筋に逃げ込むように、階段へ向かった。

階下に降りると、秀明がけげんそうな顔でダイニングから出てきて、「なんかあったの？」と訊《き》いた。

のんきな声がむしょうに腹立たしい。

「いいから、おまえは早く飯食え。今日も予備校だろ」

「でも、いま泣いてなかった？　優香」

口の中にパンを入れたまま、もごもごと頬が動く。

「おまえには関係ないだろう」感情の高ぶりを、必死に抑えた。「早く行け」

「でもさあ、気になるじゃん、俺だって」

「……だいじょうぶだ」

「べつに予備校とか一コマぐらい休んでもいいんだけど」

限界だ——と気づくよりも早く、怒鳴り声が出た。

「おまえがいたってしょうがないんだ！　どこでもいいから、どっか行け！」

ふてくされて家を出た秀明は、食べかけの朝食の皿をダイニングテーブルに置きっぱなしにしていった。

政彦は秀明の食器を洗い、笛吹きケトルをガスレンジにかけた。お湯が沸くまでの間に武藤の携帯電話に連絡を入れて、今日は午後から出社すると伝えた。もしかしたら夕方になって慰労会の会場に直行するかもしれない、とも。

ポットの中のミントティーに色がつきはじめた頃、やっと綾子が降りてきた。

「優香、いま寝てるから」

「学校はどうするんだ」

「休ませる。さっき、あなたがジョギングしてるときに電話しといたから」

自分が家にいないときに、いろいろなことが起きて、いろいろなことが決まる。

政彦はまだ淡い緑色のミントティーをカップに注ぎ、薬のつもりで目をつぶって啜《すす》り込んだ。

熱すぎて、舌をやけどしそうになった。

# 4

優香の机に置いてあったのは、やはり自画像だった。今朝、学校に持っていくことになっていたのだという。

「みんなは先週出したんだけど、優香だけ、まだなんだって。わたしもそれ、ゆうべ初めて知ったの。先生が、とにかく明日は必ず持ってきてほしい、って」

「電話で?」

「……そう」

「謝恩会っていうのは嘘か」

綾子は、ごめん、と口を小さく動かし、政彦をちらりと見て、すぐに目をそらす。

「まあいいや」綾子のためにというより、自分のために、明るい声をつくった。「その絵って、図工の宿題だったのか?」

綾子はかぶりを振った。

優香の通う小学校には、開校以来の伝統があるらしい。卒業生全員に自分の顔を描かせ、それを一枚の大きな台紙に貼《は》ってパネルにして、卒業年度順に体育館の二階の壁に飾っていくのだという。

「だから、一人でも絵が揃《そろ》ってないとパネルがつくれないのよ。それで岡本先生も困ってるの」

「あいつ、絵は得意なのに、どうしちゃったんだ？」

「学校ではぜんぜん描けなかったんだって。鉛筆持って、ずーっと画用紙を見てるんだけど、手が動かないの。一生残るものだからプレッシャー感じてるんだろうって、おとといから宿題にしてくれてたの」

「それでまだ描けないのか？」

「描くことは描いてるのよ。でもね、学校に出せるような絵じゃないの。ゆうべ優香に見せられて、もう、わたし、ぞっとしちゃって……」

綾子はリビングのマガジンラックからインテリア雑誌を取り出して、ページに挟んであった画用紙を二枚、政彦に見せた。

二枚とも、髪と顔の形や色はさっき優香の部屋で見た絵と同じで、目鼻や口も描いてあった。

だが――綾子の言っていた意味は、すぐにわかった。

一枚の絵は、三日月のような細く瞳《ひとみ》のない目が吊《つ》り上がっていた。口も両端がまるで裂けたようにめくれあがっている。秀明がまだ小学生の頃に買ってやった江戸川乱歩の本の挿絵にあった邪悪な仮面のような顔だ。

もう一枚は、雪だるまだった。黒の絵の具で真ん丸に塗りつぶした両目と、同じ黒で横一直線の口。だが、タドンと炭でつくった雪だるまの顔にある素朴な愛嬌《あいきょう》は、ここにはない。黒い両目はただの穴ぼこで、外の世界をなにも見ていないし、内側の感情をにじませてもいない。口も、ただの一本の棒だ。その一瞬前に笑っていたのか、一瞬あとには怒りだすのか、そういったものがなにも伝わってこない。からっぽの顔だ。邪悪な仮面の顔よりも、むしろこっちのほうが、ぞっとする。

「あの子だって、これを本気で先生に出すつもりはなかったと思うけど……でも、ふつう描かないわよね、こんな絵」

黙ってうなずいた。これが自画像――？　ふざけて描いたにしても、あまりにも暗く、救いがないし、なにより優香はこういうときにふざけるような子ではない。

綾子は、二枚の絵をまた雑誌に挟んで、「あなたには見せるなって言われてるの」とつぶやくように言った。

「優香に？」

「そう。お父さんにはなにも言わないでって。ゆうべもそのことばっかり、ずーっと言ってたの」

「……なんでだ」

綾子は政彦の問いをいなすように席を立ち、食器棚から自分のカップを持ってきてミントティーを注いだ。

「なんで俺に知られたくなかったんだ？」

あらためて、さっきよりは少し冷静な口調で訊いた。

綾子はカップの腹に両手の掌《てのひら》を添えて、薄い笑みを浮かべた。

「優香ね、卒業式の答辞、読みたくないんだって。中学も公立に行きたいって」

「……どういうこと？」

「わたしはそんな子じゃないから、って。みんなが思ってるようないい子じゃないんだからって」

最初に訊いたことの答えにはなっていなかったが、政彦は話をつづけるよう目でうながした。

『風の子学園』に出かけた日のことだ。

学園の先生の案内で校内を見学したあと、学園に通う耳の不自由なこどもたちといっしょに遊ぶことになった。それは前もって岡本先生を通じて、優香がぜひにと頼んでいたことでもあった。

優香たちと人数を合わせて、補聴器を耳につけた五人の子がグラウンドに来た。男の子が三人に、女の子が二人。優香たちは五人とも女の子だった。

男の子たちは、馬跳びで遊びたい、と筆談で伝えた。学園の女の子二人は、あやとりをしたいのだという。馬跳びは乱暴すぎるし、あやとりでは男の子が満足しない。

少し離れたところでは、岡本先生と学園の先生がにこにこ笑いながらこどもたちを見ていた。

橋本優香さんに任せておけばだいじょうぶですよ——と岡本先生が言っているように、優香には見えた。学園の先生の笑顔も、さあ優香さん、がんばって話をまとめてみてごらん——と言っているようだった。

優香はふと思いついたアイデアを、学園の子のために大きな声で口にした。

「『だるまさんがころんだ』やらない？　これだったら、男子も女子も遊べるから」

学園の子は、きょとんとした顔になった。遊び方を知らないのだろうかと思って、優香は筆談に身振り手振りを交えてルールを説明していった。

鬼が壁に向かって目をつぶって、数をかぞえる代わりに「だーるまさんが、こーろんだ」と言う。鬼以外の子は、その間に鬼に近づいていく。鬼は「だーるまさんが、こーろんだ」を言い終えると同時に後ろを振り向いて、その瞬間、みんなは体の動きを止めて……。

途中で、気づいた。顔から血の気がひくのがわかった。

学園の子は、「だーるまさんが、こーろんだ」の声を聞き取れない——。

少し遅れて、クラスの友だちもそれに気づいた。ちょっとまずいよと目配せされ、あの子たちかわいそうだよと耳打ちされた。

優香はとっさに後ろを振り向いた。岡本先生と学園の先生は、まだ優香を見ていた。笑っていた。苦笑いに見えた。この子は意外と無神経だったんだなあ——とあきれているように、見えた。

黙りこくってしまった優香に代わって、別の友だちが鬼ごっこを提案して、学園の五人も賛成して、みんなで遊んだ。

優香は笑いながら鬼から逃げ、鬼になったら楽しそうにみんなを追いかけた。そのときからずっと、今日に至るまで、本気で笑ったことは一度もない。

綾子は話を終えると二階に上がり、優香の様子を見てきた。

「よく寝てる。ゆうべはほとんど徹夜だったみたいだから」

政彦は唇を嚙《か》みしめる。なにも気づかなかった。夢にも思っていなかった。綾子の寝室は政彦の隣だし、階段から自分の部屋に向かう途中、優香の部屋の前も通る。政彦がぐっすりと寝入っている間、優香は真っ白な画用紙をぼんやりと見つめ、綾子はそんな娘の苦しみを胸の中にしまい込んでいたのだ。

ゆうべだけではない、綾子は『風の子学園』でのできごとを、数日前に優香から聞き出していた。「お父さんにはぜったいに言わないから」という約束付きで。

「まさか自分の顔が描けなくなるほどだとは思わなかったけど……」綾子は寂しそうに笑った。「あの子、完璧《かんぺき》主義のところがあるからね」

『だるまさんがころんだ』を提案した自分を無神経で残酷な子なんだと責めることに始まって、自己嫌悪《けんお》はどんどんエスカレートしていった。

先生に叱《しか》られるのが怖かったから、学園の子に謝る前に岡本先生のほうを振り向いてしまった。

けっきょく学園の子に謝らなかったのは、あのままごまかしたかったから。

その前に、ふと思いついただけの『だるまさんがころんだ』をきちんと考えることなく大きな声で提案してしまったのは、やっぱり橋本さんはしっかりしてるわね、と先生に褒めてもらいたかったから。

さらにその前に、『風の子学園』に行きたいと言ったのも、学園の子と友だちになりたかったのではなく、耳の不自由な子を見てみたかっただけなのかもしれない。もしかしたら同情して、バカにしたかったのかもしれない。優等生にふさわしい、いいことを探して、『風の子学園』を選んだのかもしれない……。

「悪いほうに悪いほうに考えちゃうのよね。なまじっか頭がいいから、よけいなことまで思い当たっちゃって」

友だちから、あとでなにか言われたわけではない。岡本先生も、ゆうべの電話で綾子がいきさつを話すと、『だるまさんがころんだ』の提案じたい知らなかった、と驚いていたらしい。

だから——優香は一人で勝手に思い込んで、一人で勝手に落ち込んで、一人で勝手に自己嫌悪に陥り、一人で勝手に自分の素顔を邪悪で空虚なものにしてしまった、ということになる。

政彦は長く尾をひくため息をついて、息の最後に「なあ」と声を載せた。

「優香の絵、おまえが代わりに描いてやることできないか？」

うつむいていた綾子が顔を上げる。そんなこと考えてもみなかった、というまなざしが返ってくる。

「だって、しょうがないじゃないか。卒業式までにパネルになってないとまずいんだろ？　もう時間がないし、ほかの子に迷惑かけるわけにもいかないし」

だが、綾子はまなざしを強めて言った。

「だめよ、それは」

「なんでだよ」

「わたしは、もしどうしても描けないんだったら、あの子の絵、入れてもらわなくていいと思うの。優香もそれでいいって言ってるし、先生にはわたしのほうからちゃんと説明するから……」

「なに言ってるんだ」ものわかりの悪さに、いらだった。「考えてみろよ、そのパネルってずっと貼ってあるんだぞ。一生のことなんだから、あとで後悔したって遅いんだから」

政彦はテーブルに身を乗り出して言った。間違っていない。ぜったいに。

綾子は政彦から目をそらして、ふっと笑みを漏らした。

「お父さんには黙っててって優香が言ったのは、そういうところなのよ」

どうしてそれがわからないわけ？　と小首をかしげた。

# 5

外注のスタッフにも声をかけた慰労会は、総勢三十人近い大所帯になった。イベント中止の後始末が予想よりもスムーズだったこともあって、会は二次会になってもなごやかに進んだ。

だが、なごやかであればあるほど、体の奥につっかい棒が必要になる。

ミントリキュールを使ったカクテルをお代わりしながら、誰かのジョークに声をあげて笑い、口数の少ない誰かに話を振って、誰かに話しかけられたら笑顔で応《こた》え、おしゃべりが長くなりそうならピンチヒッターに使えそうな誰かをそばに呼ぶ。

優香のことは忘れてしまったわけではない。慰労会の時間ぎりぎりまで家にいて優香が絵を描けるように励ますつもりだったのに、綾子に「あなたがいないほうがいいと思う」ときっぱりと言われた、そのときの怒りや腹立ちを通り越した寂しさも、ちゃんと、ある。

それでもいまは忘れたふりをして、「ふり」を忘れてしまったふりをして、その「ふり」を忘れたふりをして……。

「橋本さん、ちょっといいですかあ」

デザイン事務所の篠原《しのはら》という若い社員が、政彦の隣に席を移ってきて、顔を無遠慮に覗《のぞ》き込んで「橋本さんって、なんでこんなに余裕あるんすかあ？」と訊《き》いた。酔いのまわった、あまり感じのいい口調ではなかった。

「おとななんだよ、橋本さんは」

少し離れた席から、武藤がたしなめるように言った。

篠原は「おとなって、俺らもおとなじゃないっすか」と言い返す。「でも、橋本さんと俺ら、なーんか違うでしょ」

「同じだよ」と政彦は言った。さらりと受け流す笑顔を、うまくつくれた。

だが、篠原は「違いますよ、ぜーんぜん違うじゃないっすか」と体を揺する。「なんかねえ、ニンゲンっぽくないんすよね」

「そうか？　俺はロボットなんかじゃないけどなあ」

笑いながら、そうだ、この口調でいい。間違ってはいない。

「橋本さんは器《うつわ》がでかいんだよ」と別の誰かが口を挟み、女子社員が「優しいし」と付け加えて、武藤がまとめて「いい意味でクールなんだよ、いつも冷静だし、ぜったいに困った顔見せないし」と言った。

「すごい人気っすねえ……」

篠原はふてくされたようにウイスキーの水割りをあおり、政彦に向き直った。

「でも、そういうのって、カッコつけてるだけなんじゃないっすか？」

武藤が「おい、なんだ、その言い方」と気色《けしき》ばみ、デザイン事務所の先輩社員は恐縮しきった様子で篠原を自分たちの席に連れ戻した。

政彦は黙って、カクテルをさっきより多めに口に含んだ。味わう間もなく飲み干して、遠くの席に結婚が決まったばかりのスタッフの顔を見つけ、つっかい棒をぐっと奥に押し込むようにして、「そろそろ彼女とのなれそめでも聞かせてもらうか」と笑って声をかけた。

まわりの連中も歓声をあげ、座はそれでにぎわいとなごやかさを取り戻した。からまれたときの対応も、間違ってはいなかったはずだ。

三次会にまわる若手を武藤に任せて、終電より少し前の電車で帰ることにした。吊《つり》革《かわ》につかまるのと同時に、肩から力を抜いた。もういいぞ、と自分に言った。

窓に映り込む顔は、ため息をついたすぐあとのように、頬がだらんとして、まぶたが重たげに垂れ下がって、ひどく疲れて、年老いて見えた。

優香の描いた雪だるまの自画像を思いだした。おまえもほんとうは疲れてたのかもな。ふと、そんなふうに思った。

リビングに明かりが点《つ》いていた。

優香は二階にいる。

自画像は、まだ描けていない。

「先生も夕方、来てくれたの。優香と昔のアルバム見ながら、あんなことがあったね、こんなこともしたね、って元気づけてくれたんだけど……やっぱり、だめだった」

綾子はぐったりと疲れきっていたが、政彦のほうは失望や落胆は意外なほどなかった。優香の心は思っていたよりずっと繊細で、もろかったんだ、と受け入れた。つっかい棒をずっと立てていたんだな、と思った。それが生来のものだったのか思春期だからなのかはわからなくても、とにかく親はなにも見抜けず、なにもしてやれず、父親は娘に求められてさえいないのだ。

綾子に背中を向けてネクタイをはずしながら、政彦は静かに言った。

「明日、病院に連れていって、カウンセリングを受けさせよう」

綾子が息を呑《の》むのはわかったが、気づかないふりをしてソファーに移った。

「もう親の手には負えないよ」

「……でも、まだひと月もたってないんだから、もうちょっと様子を見たほうがいいんじゃない？」

「これ以上ひどくなってからじゃ遅いんだよ。素人《しろうと》がよけいなことをやるより、ちゃんと専門家に診てもらったほうが優香のためにもいいんだ」

綾子はなにか言いたそうな顔だったが、言葉は出てこない。政彦も黙り込んだ。

重い沈黙のなか、家のすぐそばで車の停まる音が聞こえた。ドアが開いて、閉まり、車はすぐに走り去る。

「秀明かな」と綾子がつぶやいた。

「タクシーでお帰りか、生意気なもんだな」と政彦は苦笑する。

玄関のチャイムが鳴った。

「今夜、高校の友だちと会ってたの。みんなで集まるのもこれが最後かもしれないって言ってたから」

綾子は秀明に代わって言い訳した。

「知ってるよ」

「わたし言ったっけ？」

「秀明から、ゆうべ聞いた」

俺だってなんにも知らないってわけじゃないんだぞ――心の中で付け加えた。

チャイムがまた鳴った。

「あいつ、鍵《かぎ》持ってるんだろう？」

「うん……」

玄関の外で、若い男のタガがはずれたような大声が聞こえた。

6

二人がかりで送ってきてくれた友だちが政彦と綾子に詫《わ》びるのをよそに、秀明は玄関の上がり框《かまち》に座り込み、体をぐらぐら揺らした。

二軒目の店で酒を飲んだ。最初の一口は友だちがいたずらでウーロンハイをウーロン茶だとだまして飲ませたのだが、秀明は酒だと気づいてからも飲みつづけ、お代わりまでして、二杯目の途中でひっくりかえった。

友だちは秀明を部屋まで運ぶとも言ってくれたが、政彦はやんわり断り、ていねいに礼を言って、ここまでのタクシー代と二人の帰りのタクシー代も渡した。

「おい、秀明、自分の部屋で寝ろ」

肩を揺すり、靴を脱がせてやった。秀明はうなだれて、低くうなる。なにを言っているかは聞き取れなかったが、陽気に酔っているわけではないというのはわかった。

綾子がキッチンからグラスに水を汲《く》んできた。秀明はのろのろとそれを受け取って口に運んだが、水はほとんど顎《あご》を伝い落ちてしまい、ポロシャツの胸のあたりはびしょ濡《ぬ》れになってしまった。

うんざりした気分を隠さずに、政彦は言った。

「なにやってるんだ、おまえ。酒が飲めないことぐらいわかってるだろう、少しは自分で考えろよ、こどもじゃないんだから」

綾子がとりなすように腕を後ろから引いたが、かまわずつづけた。

「こういうの、みっともないだろう。そう思わないか？　友だちにまで迷惑かけて、お父さん、恥ずかし……」

言葉をさえぎって、ガラスの割れる音が響きわたった。

グラスが三和土《たたき》に落ちた——違う、叩《たた》きつけられたのだった。

秀明は壁に手をついて立ち上がる。据わった目で政彦をにらみつけて、「うるせえ……」と濁った声で言った。

「なんだ秀明、悪酔いしちゃったのか？」

あとずさりながら笑ってみせた。秀明も距離を詰めながらにやりと笑って、次の瞬間、はじけるように叫んだ。

「むかつくんだよお！　てめえが笑うとよお！」

殴られる——と思った。

だが、秀明は政彦にかまわず、隣で身をすくめる綾子にも目を向けずに、うなり声をあげながらリビングに入った。

テーブルを、ひっくりかえす。ソファーを蹴《け》り倒す。サイドボードの上の時計や花瓶やアンティークの人形を両手でなぎはらう。壁に掛かった絵をむしり取って、カーテンをひきちぎる。キッチンとの仕切のカウンターに置いてあったガラスのティーポットに、ふりまわすダイニングテーブルの椅子《いす》の脚がぶつかって、ポットはとがったかけらを飛び散らせて、割れた。

戸口に立って呆然《ぼうぜん》とそれを見つめる政彦の耳には、物のぶつかったり壊れたりする音はほとんど入ってこない。秀明のうなり声も、綾子があげているはずの悲鳴も。飛行機が気流の悪いところにさしかかったときのように、ピン、と鼓膜が張っていた。ここにもつっかい棒があるんだな、とぼんやり思った。

秀明は足をもつれさせ、床に尻餅《しりもち》をついて座り込んだ。

政彦はゆっくりと部屋に入った。唾《つば》を呑み込んで耳の調子を戻し、「気がすんだか」と秀明に声をかけた。笑ったりはしない。怒っているわけでもない。ただ、いま俺はひとりぼっちになったんだ、と思った。

「……サイテーだよ、この家」

秀明は荒い息をついて、吐き捨てるように言った。

「どこが気に入らないんだ」と政彦が訊くと、赤く充血した目を向けて、「そういうふうに訊くところ」と言う。

「エラソーなんだよ、ひとのことバカにしてよお、なんでもわかってるって顔してよ、知ったかぶりすんなよ、なんにもわかんねえくせに」

「秀明、やめなさい」

綾子が政彦の後ろから泣き声で言った。

「いいじゃんよ、お母さんだってむかついてんじゃんよ」

秀明は綾子を見たまま政彦に顎をしゃくって、鼻を鳴らして短く笑い、また政彦に向き直る。

「俺らずーっと、うんざりしてんだよ、あんたに。優香も、お母さんも、そう思ってるんだよ。なんでも自分がいちばんだってカッコつけて余裕こいて、まわりのことばっかり気にしてよお、クソがよお……」

上目づかいで政彦をにらみつけた——その顔に、綾子が投げつけたティッシュペーパーのケースが当たった。

「謝りなさい！　お父さんに、なんてこと言うの！」

キン、ととがった声が、部屋の時間を止めた。音を消した。秀明は動かない。綾子もなにも言わない。政彦は棒きれのように立ちつくしていた。体が重いのか軽いのかわからない。なにかを背負っているようにも、ふわふわと頼りないものの上に立っているようにも思う。

ぽかんと口を開けて綾子を見ていた秀明が、甲高いしゃっくりをした。まなざしが、不意にゆるんだ。いつものののんきな顔に戻って、それを通り越して、半べその顔になった。

綾子も肩から力を抜いて、秀明に声をかけた。

「今夜、キツかったのよね、ほんとうは行きたくなかったんだもんね」

政彦に目をやって、「今夜の飲み会、秀明を励ます会だったんだって」と寂しそうに微笑《ほほえ》む。「友だちの中で浪人するのって秀明だけだから」

政彦は、なにも応《こた》えられなかった。綾子と秀明を交互に見て、立っているのがつらくなって、壁に背中を預けた。

「親切な友だちが多いと、大変よね」

綾子はしゃがみ込んで、ティーポットの破片を拾い集めた。

「なあ、秀明……」声が震える。「お父さんにはゆうべそんなこと言わなかっただろ。なんで言わなかったんだ？」

鼻を啜《すす》りあげるだけの秀明に代わって、綾子が答えた。

「あなたには言えないわよ」

「なんでだ……俺だって、子供のこといつも考えて、心配してるんじゃないか」

「でも、あなたには弱いところ見せられないのよ、みんな。あなたは強いから」

秀明も綾子の言葉をひきとって、くぐもった声で「言うわけないじゃんよ……」とつづけた。

政彦は顔をゆがめ、首をゆっくりと横に振った。篠原の薄笑いの顔がぼんやりと浮かび上がって、広がって、消える。強くなんかない、余裕なんてどこにもない、ただ間違ったことをしたくなくて、正しい、理想の自分になりたくて……ずっとがんばってきただけじゃないか……。

戸口にひとの気配がした。パジャマの上にカーディガンを羽織《はお》った優香がたたずんでいた。

政彦は壁にもたれたまま膝《ひざ》を折り曲げ、その場にへたり込んだ。

ポキン、だな。音が聞こえた。思いのほか乾いた、あっけないほど軽い音だった。さっきの秀明――あれを「キレた」と呼ぶのだろう。腹立たしさはない。あんなふうに思いきり暴れられたら気持ちいいだろうな、と思う。若いってのはいいな、とも。おとなは「キレる」わけにはいかない。おとなは「折れる」だ。ポキン、ポキン、と折れてしまう。

天井の照明をぼんやりと見つめて、家族の誰にともなく、誰にも聞かれなくていい、つっかい棒を失った顔と声で言った。

「お父さんなあ、みんな知らないと思うけど、ズボン穿《は》いたままウンチできないんだ。いつも、トイレの中でズボン脱いでるんだよ。家でウンチするときはまだいいんだけどな、駅のトイレなんかでするときって、靴とズボン片方だけ脱いで……狭いだろ、そういうところのトイレって、水で濡れてるし、和式だったら便器も汚れてるし、ズボン脱ぐのって大変なんだよ。いつもさあ、この歳《とし》になって情けねえなあって……でも、みんなの前ではちゃんとズボン穿いたままウンチしてるふりしなきゃいけないんだよなあ、そうしないとな、おとななんだもんな、お父さん……」

なにを言ってるんだろう。自分でも不思議だった。だが、しゃべるにつれて、なにかが体の奥からすうっと消えていくような気がした。

優香が、ぷっと吹き出した。秀明もあきれ顔で、床に大の字に寝ころがった。

また、部屋の時間が止まる。初めて言っちゃったなあ、と政彦はゆっくりと瞬《まばた》いた。恥ずかしいよなあ、と笑った。

しばらく沈黙がつづいたあと、綾子が「お母さんだってね」と切りだした。「あんたたちに秘密にしてることあるのよ」

えっへん、と自慢するように、自分の言葉がちゃんと子供たちに届いているんだという手応えのある声で。

「お母さんね、優香が小学校に上がる頃まで詩を書いてたの。ポエムっていうか、かわいいやつね。お父さんと結婚する前もいろんなこと詩にして、秀明のことや優香のことやいろんなの書いてて、すごく恥ずかしいんだけど、まあ、お母さんが死んでから探して読んでごらん」

政彦も知らなかった、そんなこと。

「やだあ、それ、マジ？」

優香が嬉《うれ》しそうに言った。秀明も寝ころがったまま「サイテー」とつぶやく。さっきの「サイテー」とはまるっきり違った響きだった。

また沈黙がつづく。秀明はゆっくりと起きあがって、倒れたテーブルや椅子を片づけはじめた。優香は二階に戻っていった。階段を上る音は駆け足のテンポで、それだけでも、まあいいか、と思う。

政彦は両膝に顔をうずめて、息を詰めて笑った。笑いは胸から次々にこみ上げてくるが、まぶたもじわじわと熱くなる。嬉しいのか悲しいのかわからない。ただ、寂しくはなかった。

優香の自画像は、その夜、完成した。

両目をつぶって微笑む顔だった。

友だちからは「死に顔みたい」「お地蔵さんみたい」と評判が悪かったらしいが、笑顔であることは確かだった。

ひどい二日酔いで次の日はベッドから起き上がれなかった秀明は、リビングで暴れたことをこれっぽっちも覚えていないらしい。「すごかったんだから」と綾子が言っても、「ぜってー嘘《うそ》だよ、そんなの」と信じないし、割れたポットや引きちぎられたカーテンを見せても「ほんとは夫婦ゲンカしたんでしょ？」と笑う。百パーセント信じていいのかどうかはわからないが、じゃあウンチの話もあいつは覚えてないんだな、ということにしておいた。

「ねえ、なんであんなこと言っちゃったの？」

綾子に訊《き》かれて、「折れたんだよ」と答えた。綾子は最初は怪訝《けげん》そうだったが、とりあえず納得はしたのだろう、「まあ萎《しお》れちゃうよりはいいかもね」と笑った。

「おまえだって、なんであんなこと言ったんだ？」

綾子は笑うだけでなにも答えない。ポエムのことを尋ねても、とぼけてすまし顔をつくる。

政彦のショックは、むしろあれから日がたつにつれて深くなっていた。秀明にぶつけられた言葉を思いだし、優香がぶつけることとすらしてくれなかった言葉を思い浮かべるたびに、胸がしぼられるように痛む。

「自分の生き方を子供に否定されちゃったようなもんだからな……」

綾子に愚痴ることもある。

それでも、やはりつっかい棒ははずさない。折れた箇所を継ぎ直して、カルシウムの補給も怠りなく、間違ったことはすまい、と心がけて仕事に臨み、プライベートな時間を過ごす。

ポットが割れたのをしおに、ミントティーを飲むのはやめたけれど。

優香の卒業式には、家族全員で出かけた。少し早口にはなったが、優香はしっかりと答辞を読み上げた。綾子は本人よりも緊張した顔でビデオを回し、政彦は壇上で拍手を浴びる優香のはにかんだ笑顔をズームでカメラにおさめた。

式が終わると、卒業生の家族は入れ替わり立ち替わり自画像パネルの前に来て、記念撮影をはじめた。

政彦たちも——。

「やっぱり、一人だけ目をつぶってると目立つなあ」

苦笑いを浮かべる政彦に、優香は「だって、正面向いてる顔って嫌だったんだもん」と言った。

政彦と綾子はちらりと目を見交し、小刻みにうなずき合った。

「でも、ふつうの顔じゃないほうが、おとなになってから見たら懐《なつ》かしいんじゃない？　こういう頃もあったんだなあ、って」

綾子の言葉に、優香は「そうかもね」とうなずいた。

政彦も優香の自画像に微笑みかけた。

閉じたまぶたは、傷が癒《い》えるまでのかさぶたなのかもしれない。ゆっくりと癒《いや》せばいい。そのための我が家だ——と思って、少し照れた。

「じゃあ、みんなこっち向いて。撮るよ」

三脚を立てたカメラを覗《のぞ》き込んで、秀明が言った。セルフタイマーのスイッチを入れて、政彦の隣に駆けてくる。

このカメラのタイマーは十秒だったかな二十秒だったかなと思っていたら、予想より早いタイミングでフラッシュが光った。

一家四人。

政彦だけ、目をつぶってしまった。

# 母帰る

1

「タク、あんたはどげん思う？」で切りだされた姉からの電話は、途中に何度もため息を挟み、困惑と憤《いきどお》りの交じった「信じられんて」と「お父さんもなに考えとるんやろうねえ」を二度ずつ繰り返して、「うちはとにかく反対じゃけんね」で終わった。

数百キロ西から届く姉の言葉のふるさと訛《なま》りは、懐《なつ》かしさよりも、うっとうしさにも似た重さを僕の耳の奥に残して消えていった。大学進学を機に十八歳で上京し、今年三十七歳、すでに人生の半ば以上を東京で過ごしている。

「あんた長男なんじゃけんね、ひとごとと違うんよ」とも姉は言った。

「わかっとるよ、それくらい」――少しむっとして返した、その一言だけ、ふるさとの訛りが出た。NHKの大河ドラマの役者が方言指導を受けてしゃべるようなぎごちない言い方になったのが、自分でもわかった。

受話器を置くと、掌《てのひら》が汗ばんでいることに気づいた。頭の後ろ、というより首筋の、盆の窪《くぼ》のあたりに鈍い痛みがある。四十を過ぎて高血圧に悩まされている姉も、電話を切ったあとは降圧剤を服《の》んでいるだろう。

　ダイニングテーブルに戻ると、妻の百合《ゆり》と子供たち——志穂《しほ》と彩花《あやか》は、もう夕食の皿の後かたづけを終えていた。三十分近く電話で話していたことになる。姉はまだ会社だと言っていた。一人きりで夕食をとっているはずの甥《おい》っ子の翔馬《しょうま》の姿を思い浮かべると、首筋の痛みが二股《ふたまた》に分かれ、ほんのわずかテンポをずらして響くような気がする。

「お義姉《ねえ》さん、やっぱりだめでしょ」

　キッチンから出てきた百合が、眉《まゆ》をひそめて訊《き》いた。

「いまから親父《おやじ》のところに怒鳴り込みそうな勢いだった」

「そりゃそうよね、やっぱりね」

　百合はうなずいて、テレビの歌番組に見入っている子供たちに「早くお風呂《ふろ》入っちゃいなさいよ」と声をかけた。

「パパといっしょに入るか？」

　僕の言葉に、娘二人は目を見交わして、譲り合う——押しつけ合うように、相手を肘《ひじ》や足で小突く。お姉ちゃんの志穂は小学三年生、妹の彩花は一年生。最近、この家に男は俺一人なんだなあ、と感慨とも寂しさともつかず噛《か》みしめることが増えた。

「俺、今度の土日に帰ってみるよ。とりあえず親父と話して、場合によっては……あっちの家にも寄ってみるから」

百合はなにか言いたげな顔になったが、それを振り払うように小刻みにうなずき、キッチンに戻っていった。

「わたしは、お義父《とう》さんの好きなようにさせてあげたほうがいいと思うけどね」

声だけ、リビングによこす。

わかってる。僕は口の動きだけで返す。おととし古希《こき》を迎えた年老いた父の、もしかしたら最後になるかもしれないわがままだ。姉は「お父さん、惚《ぼ》けたん違うかなあ」と言っていたが、そんなことはないだろうと僕は思う。父は、まともな頭で、まともに考えて、そしてまともではない結論に達したのだ。

テレビはコマーシャルになった。芝居めいたおっかない声をつくって、僕は娘たちに言う。

「早くお風呂入らないと、パパもいっしょに入っちゃうぞお」

二人はあわてて立ち上がり、手をつないで浴室に向かった。苦笑交じりにその背中を見送っていると、キッチンから百合が「そういうの脅しに使わないほうがいいんじゃない？」と言った。娘たちの正直すぎる反応よりも、むしろ百合の言葉のほうが胸に痛い。

「父親ってのは、孤独だよなあ」

「なにおおげさなこと言ってるの」

「いや、でもさあ……」ため息をひとつ。「俺は親父の孤独を見てるからなあ」

　これもおおげさだと百合は言うだろうか。軽く笑い飛ばしてもらったほうが楽になりそうな気もしたが、キッチンからの返事はなかった。

代わりに、浴室から志穂と彩花のおしゃべりの声が聞こえてくる。志穂がシャンプーをしてやるというのを、おねえちゃんが洗うと目に染《し》みるから、と彩花が嫌がっているようだ。

　姉貴もそうだったな、と僕は冷めた料理をもそもそと口に運びながら思う。五歳違いの姉弟だった。幼い頃から勝ち気で世話好きだった姉は、そのくせ手先はあまり器用なほうではなく、シャンプーはもとより、いつだったか「おねえちゃんが髪の毛摘《つ》んじゃるけん」と洋裁バサミでトラ刈りにされてしまったこともある。

「おかず、温め直そうか？」

百合に訊かれ、「いや、いいよ」と断って、そういえば、とあらためて気づく。

志穂も彩花も「おばあちゃん」を一人しか知らない。子供たちが「おばあちゃん」と呼ぶ相手は、千葉に住む百合の母親しかいない。

パパのほうのおばあちゃんは——「死んだ」とは言っていない。訊かれたら「いないんだよ」とだけ答えていた。いつか二人が大きくなって、家族や夫婦という意味がわかった頃に説明するつもりだった。二人が大好きな翔馬おにいちゃんにパパがいない理由も、いっしょに。

誰かを悪者にしてしまうような話し方だけはやめようと決めていたが、いまはもう、あまり自信がない。

母が家を出たのは十年前、僕と百合が結婚した年だった。

初夏に結婚式を挙げたときには父と並んで円卓に座り、感激に目を潤《うる》ませていた母が、ちょうどいま頃——九月の終わりになって、離婚届を父につきつけた。

なにもいらない、悪いのはすべて自分、責められてもなじられてもかまわない、ただ離婚してほしい、家を出ていきたい、母は涙交じりに訴えたのだという。

父はそれを受け入れた。二人の間にどんな話し合いがあったのか、東京の僕はもちろん、車で一時間ほどの町に住んでいる姉も知らない。父からも母からもいっさいの相談はなかった。ただ、いままで夫婦喧嘩《げんか》ひとつしたことのなかった両親が離婚してしまったという結果だけが、それぞれの家庭を持った姉弟に残されたのだった。

十月も半ばを過ぎた頃、翔馬を連れた姉が実家を訪ねたら、居間には父が一人でぽつんと座っていた。

「お母さんは？」

「おらんようになった」

「どこ行ったん？」

「知らん」

「……どういうこと？」

「離婚した」

「なして？」

「わしゃ、ようわからん」

そのやり取りを再現するとき、姉はいつも呆然《ぼうぜん》とした表情をつくって父を真似《まね》る。焦点の合わないまなざしで虚空《こくう》を見つめ、抑揚のない声で父の台詞《せりふ》を口にして、「ほんま、そのときはお父さんが惚けてしもうた思うたもんねえ」と笑う。

だが、それは父にとっては、ふだんどおりの対応だったのかもしれない。もともと無口で、愛想も悪く、町の地場産業のセメント工場で三交代制勤務を定年までつづけた勤勉な工員ではあったのだが、なにを考えているのか子供にはつかみづらいところのあるひとだった。

一方、母は陽気な社交家で、少しわずらわしいぐらいおしゃべりだった。父が一人きりになってから、僕と姉はあらためて知った。母は父の通訳をつとめていたようなものだったのだ。

そんな母が、父を捨てた。結婚して三十三年、五十八歳のおばあちゃんが、夫の両親を看取《みと》り、娘の産んだ孫を抱き、息子の結婚を見届けて、この家での仕事はすべて終わったのだというふうに荷物をまとめたのだった。

「熟年離婚のはしりみたいなもんやね」と姉が冗談めかして言うようになったのは、この二、三年のことだ。ショックが癒《い》えたというより、三年前に姉自身が離婚したことが大きいのだろうと僕は思い、思うだけで口には出さない。

母は家を出て間もなく、町の東端から西端へ移る格好で、父と同い歳《どし》の中村さんという公認会計士の男性と暮らしはじめた。姉が一度だけ会った。悪いひとには見えなかった、らしい。

奥さんを四十代の頃に病気で亡《な》くした中村さんには、すでに独立した息子が二人いて、その息子たちのことを慮《おもんぱか》って——要するに財産をめぐってのことだと思う、母とは籍を入れない関係で所帯をかまえた。いわゆる内縁の妻というやつだ。

ふるさとの町は、人口四十万人ほどの県庁所在地だ。港があり、コンビナートがあり、造船所があり、国道とバイパスと高速道路が町を貫き、JRも四つの路線が交差していて、ひとの出入りも多い。両親は、だから、別れたあとの十年間をまったくの赤の他人として、顔を合わせることなく過ごしてきた。

もちろん、無責任な同情や遠慮容赦のない好奇心に満ちた噂《うわさ》話は親戚《しんせき》や知人の間で渦を巻くように流れ、そのうちのいくつかは姉を憤慨させたり僕をうんざりさせたりもしたのだが、とにかく母は家を出て、父はそれを黙って見送って、二人が納得しているかぎり、僕たちは両親の決断を受け入れるしかなかった。

そのかわり、僕は母の身勝手なふるまいを恨《うら》み、憎んだ。親子の関係は変わらないと言われても、理屈をそのまま受け入れることはできなかった。十年間で母と会ったことは数えるほどしかなく、子供たちには決して会わせなかった。

姉も、すべてを僕に報告してくれているわけではないのだろうが、母よりも父の味方についていた。義兄と別れてからも、それは変わらなかったと思う。

父は一人暮らしを十年間つづけた。年老いて、体のあちこちにガタもきていたが、弱音は一度も吐かなかった。僕に「帰ってきてくれ」と言ったことはないし、「東京に行く」とも言わない。離婚した姉が「翔馬と三人で住む？」と持ちかけたときも、「わしゃあ、このままでええ」とぶっきらぼうにかぶりを振るだけだった。

僕たちも、同居を強くは誘わなかった。父の孤独と、だからこそ一人で暮らしていたいんだという気持ちは、痛いほどわかっているつもりだった。

今年の夏、母は中村さんに先立たれた。

二人で住んでいた中村さん名義のマンションは会計事務所を継いだ長男が処分することになり、母はいくらかの金と引き替えに中村家との関係を絶たれ、市内のアパートに移り住んだ。

人づてにそれを知った父は、先週になって姉に電話を入れて、頼みごとがあると言いだした。

お母さんに連絡をとってくれないか。

もう一度いっしょに暮らせないかと訊いてみてくれないか——。

## 2

昼前にふるさとに着く飛行機で、東京を発《た》った。東京は秋晴れのいい天気だった。彩花と約束していた「晴れたら遊園地」がキャンセルになってしまったのが申し訳ないくらいの。

定刻どおりに羽田空港を離陸した飛行機が水平飛行に入り、シートベルト着用サインが消えると、それを待ちかねていたように前方の席から中年の男性が立ち上がり、こっちを振り向いた。

僕と目が合うと、やあ、と少し照れくさそうに笑いながら手を挙げる。

義兄——いまはもう浜野さんと呼んだほうがいい、姉のかつての夫だった。

浜野さんは空席になっていた僕の隣のシートを指さし、行ってもいいかな、と目で訊いてきた。

僕は黙ってうなずいた。複雑な気持ちはないわけではなかったが、無下《むげ》に断るのもよけい気まずい。

席を移ってきた浜野さんは、飛行機に搭乗するときに僕を見かけたことと、いま横浜に住んでいることを、てきぱきとした早口で話して、「ひょっとしたら拓己《たくみ》くんと同じ飛行機になるかもなって思ってたんだ」と言った。「お義父《とう》さんとお義母《かあ》さんのことで大変なんだろ？」

「知ってるんですか？」

「ゆうべ、和恵《かずえ》から……」

一度は姉の名前を呼び捨てにした浜野さんだったが、すぐに「和恵さん」と言い換えて、ゆうべ電話でそのことを少し話したのだと教えてくれた。

怪訝《けげん》な僕の表情に気づくと、「今日は翔馬に会う日なんだ」と笑う。「待ち合わせの場所と時間を決めるときだけだよ、和恵さんに電話するのは」

離婚のときの条件で、浜野さんは毎月の養育費を支払う代わりに、年に四回、翔馬と面会することになっていた。六月に会ったときは、一人で上京した翔馬をディズニーランドへ連れていったのだという。

「もう中学一年生だからな、三カ月に一回でも、会うたびに体がでかくなってるのがわかるよ。もうすぐ和恵さんの背丈を抜いちゃうんじゃないかな」

浜野さんと会うのは三年ぶり——離婚以来初めてだった。感じが少し変わった。姉より一つ年下だから、いまは四十一歳になっているはずだが、三年前よりも若々しく見える。服装のセンスが垢抜《あかぬ》けたせいもあるし、スポーツジムにでも通っているのだろうか、体つきも締まったようだし、なにより、話し方に張りがある。

「仕事のほうはどうですか？」と僕は訊《き》いた。

「うん、本社だからな、なにかと忙しいけど、やりがいはあるよ」

「……失礼ですけど、再婚は？」

「とうぶん、ないな」

思いのほかあっさりと答えた浜野さんは、問いを僕にひるがえらせた。

「拓己くんのところはどう？　あいかわらず家庭円満？」

あいかわらず——の言葉に、小さな皮肉を感じた。

「まあ、ぼちぼちですね」

鼻白んだのを隠しきれなかったが、浜野さんは悪びれた様子もなく、「きみは家庭的だもんなあ」とつづけた。

あんただってそうだったじゃないか。心の中で返す。姉と夫婦だった頃、浜野さんは絵に描いたようなマイホーム・パパだった。姉は「ウチのダンナは優しいのだけが取り柄じゃけんね」と口癖のように言っていた。勝ち気な姉と、年下の夫。家庭の主導権は姉が握って離さず、浜野さんにも言いたい放題だった。ときには弟の僕でさえはらはらしてしまうこともあったが、浜野さんはいつも困ったような顔で笑うだけだった。おひとよしなのだと思っていた。ちょうど『サザエさん』に出てくるマスオさんのように、のんびり屋の、たぶん恐妻家だと思いこんでいたのだった。

「でも、まあ……」

浜野さんは居住まいを正し、軽く咳払《せきばら》いして、「拓己くんにはきちんと挨拶《あいさつ》をしなくちゃと思ってたんだけどな」と言った。

別れた妻の弟として、僕はどんな表情を浮かべ、どう応《こた》えればいいのだろう。目をそらし、シートポケットに差し込んである機内誌の表紙をぼんやりと見つめた。空の青がとてもきれいな表紙だった。

「悪かったな、こんなことになって。和恵さんや翔馬にもそうだし、拓己くんやお義父さんやお義母さんにも、もう会わせる顔がないよなあ」

かたちだけだ、と思った。素直な詫《わ》びの言葉だから、よけい嘘々《うそうそ》しく感じられる。

浜野さんは横浜に本社のある電器メーカーの研究員で、僕のふるさとの隣の市にある商品開発研究所に勤めていた。現地採用の事務員だった姉とは、だから職場結婚ということになる。「頼りなくて、守ってあげたくなるひと」というのが浜野さんに対する姉の第一印象だった、と結婚披露宴の同僚のスピーチで知った。

そんな浜野さんが二年間も不倫をつづけた。相手の女性は、かつての姉と同じ、研究所の事務員だった。最後は修羅場だったらしい。先におりたのは、愛人。姉はこれで元の鞘《さや》に収まると思っていたらしいが、浜野さんにはもうやり直す気はなかった。会社に異動願いを出し、市役所から離婚届を取ってきて、慰謝料や養育費など相場以上のものを支払うという条件で、姉と翔馬のもとから去っていったのだった。

「ひどい奴《やつ》だと思ってるだろ、俺のこと」

僕はなにも応えなかったが、浜野さんは「そりゃそうだよな」と一人で納得して、「でも」とつづけた。「拓己くんにはわかってもらえないだろうと思ってたよ、あの頃も、いまも」

浜野さんは苦笑交じりに話題を変える。

「お義父さんとお義母さんのこと、和恵さんといっしょに反対してるんだろ？」

どうせ——と、声には出さなかったが聞こえた。昔の浜野さんはそういう言い方はしなかった。もうマスオさんには似ていない。おひとよしだらけの『サザエさん』には登場しないタイプのひとになった。マスオさんもサザエさんと離婚したらそうなってしまうのだろうか。

窓の外には雲が広がっていた。気流が悪くなったのか、飛行機は波に乗るように軽く浮き上がっては、がくんとつんのめって高度を下げる。

僕は、ふう、と息をついて言った。

「身勝手なんですよ、親父《おやじ》もおふくろも」

「お義父さんが？」

「……年とって一人暮らしが大変になったから、おふくろを呼び戻したいんですよ」

浜野さんは薄く笑って首をかしげた。窓の外で雲がちぎれる。しばらく沈黙がつづき、浜野さんは「ま、いいや」と立ち上がった。

浜野さんは、今夜は駅前のホテルに泊まる。昼間は翔馬とドライブに出かけ、夕食を二人でとって、そこから先はなにも予定は入っていないのだという。

「もしよかったら一杯飲《や》らないか？」

僕の返事を待たずに「その気になったらホテルに電話くれよ」と自分の席へ戻っていく浜野さんの背中を、遅ればせながらにらみつけた。

飛行機はまた、階段を一段踏みはずしたように高度を下げた。

到着ロビーには、姉と翔馬がいた。浜野さんより先に手荷物を受け取って外に出た僕に気づくと、翔馬は「あれ？　なんでタクちゃんがいるの？」と驚いた顔になり、姉は「やっぱり同じ便になったんね」と苦笑する。

「ちょっと話したよ、あのひとと。元気そうだった」

「あたりまえやわ」姉は少しおどけたしかめつらをつくった。「女房子供捨てて自由の身になったんやけえ、元気溌剌《はつらつ》にならんかったらアホじゃが」

「誰がアホだって?」――僕の後ろから浜野さんが笑いながら言って、翔馬に「おっす」と声をかける。

翔馬は肩をきゅっとすぼめてうつむき、「また背が伸びたんじゃないか?」と父親に訊かれると顎《あご》をさらに引いて、笑っているのか怒っているのか、頬《ほお》を微妙な角度でゆるめた。

「ほら翔馬、なにしとるん、はよ行き」

姉に背中を押された翔馬は、浜野さんに向かって歩きだしたが、顔はうつむいたままだ。「なに照れとるん、親子やのに」と姉は笑う。浜野さんも「よし、行こう」と自分から迎えるように翔馬の肩を抱き、それでやっと少しだけ顔が上がる。

浜野さんと姉は、夕食後に待ち合わせる場所と時間を一言二言で確認し、すぐに別れた。浜野さんは翔馬の肩を抱いてレンタカーの営業カウンターへ。姉と僕は空港の外の駐車場へ。

途中で一度だけ振り向くと、翔馬はまだうつむいて、あまり楽しそうではない足取りで歩いていた。肩に載った父親の手をうっとうしがっているようにも見えた。

「お父さんと会うても、最初のうちはいつもあんな調子なんよ」と姉は言った。

「照れくさいのかな」

「うちに気ィつこうとるんよ、子供は子供なりに。あんまり嬉《うれ》しそうな顔したらいけんのじゃないか、いうて」

「……そこまで考える？」

「中学生いうたら、もう半分おとなじゃけんね。しょっちゅう叱《しか》られるんよ、『お母さんが偉そうなこと言いよるけん、お父さんに愛想尽かされたんじゃ』いうて」

姉はさばさばと言う。それが本音なのかどうかは、僕にはわからない。クッキングブックをめくって、レシピはあっても味の見当がつかない料理の写真を眺めるようなものだ。

空港ビルを出ると、姉は緊張が解けたようにひとつ息をついて、「タクは百合さんと仲良うやっとるん？」と訊いた。

「まあ……ぼちぼち、てきとうに」

さっき浜野さんにも同じことを訊かれたよ——言いかけて、やめた。

「あんたは家庭的なダンナやもんね」

姉は笑う。

僕が返した苦笑いの意味は、もちろん姉にはわからない。

3

けっきょく、父は自分で母に連絡をとったらしい。

「お母さんは『うん』とは言わんかったらしいけど、とりあえず今度ウチにお茶でも飲みに来んさい、て……お父さんもなに考えとるんじゃろなあ」

空港と町を結ぶバイパスを、姉の軽四は制限速度いっぱいのスピードで駆けていく。

浜野さんがいた頃はペーパードライバーだったが、離婚後に化粧品の訪問販売の仕事を始めてからは月に二千キロ近く走っているのだという。

「うちなら考えられんわ、別れた亭主とヨリ戻すとか。プライドの問題じゃもんね」

「まあね……」

「翔馬にもどげん説明すればええか、わからんもん。親は離婚で、おじいちゃんとおばあちゃんは別れてまたくっついて、いうて、お昼のドラマと違うんよ」

姉の早口は、こどもの頃から変わらない。勝ち気な性格も、なんとなく、離婚してからさらに強くなったように思える。

「お姉ちゃんは再婚はしないの？」

「アホなこと言わんといて。翔馬と二人で仲良うやっとるんやもん。いまさら他人に入ってこられても面倒なだけやん」

本音――なのだろう、と信じた。

車線変更を細かく繰り返しながら助手席の僕を見て、「タクはどうせ『男の子には父親が必要なんだ』とか言うんじゃろうけどね」とからかって笑う、そっちのほうがより素直な言葉と笑顔ではあったけれど。

距離にして二十キロほどのドライブの間、何度も姉の携帯電話が鳴った。姉はいちいち車を路側帯に停めて電話に応対する。ルール違反が嫌いで、たとえ電話一本でも遅れをとるのはもっと嫌いな性格だ。

電話はすべて仕事がらみだった。この週末の予定が見る間に埋まっていく。三年連続で営業所トップの成績をとり、十二月には大阪の本社で表彰を受けるのだという。

「離婚したおかげでわかったんよ、仕事のおもしろさ。あのまま専業主婦で一生終わっとったら思うと、ぞっとするもん」

僕は黙ってうなずく。

本人に言うつもりはないけれど、姉は離婚してからきれいになった。よく翔馬が「タヌキ」とからかう丸っこい体型は変わらなくても、体の内側から漲《みなぎ》ってくるものが、たしかにある。

母はどうだったろう。離婚後に母と会った数少ない記憶をたどってみても、あまりはっきりとしない。向き合っているときも顔なんか見てなかったのかもな、と思う。

父のことなら——わかる。

母に離婚された最初の一年で、父はいっぺんに老け込んだ。坂道を転げ落ちるというよりダルマ落としの土台が一段すぽんと抜けてしまったような老け方だった。

母は十年ぶりに父の声を聞いて、なにを思ったのだろう。申し訳なさがせめて胸の片隅をよぎっていてほしい。僕は母を恨み、憎んではいたが、嫌いになってはいないのだから。

父は玄関にたたずむ僕を見て「なしてタクがおるんな、出張か？」と言った。言葉ほどには驚いた様子のない、のんびりした声だった。

「なに言うとるん、お父さんがわけのわからんこと言いだしたけん、タクも心配でかなわんいうて東京から来たんじゃが」

　僕の代わりに答えた姉は、さっさと家に上がって「お父さん、お昼まだじゃろ。タクも来たんじゃけん、お寿司《すし》でもとろうや」と、言いだすそばから携帯電話で近所の寿司屋に出前を注文した。特上三人前。「お姉ちゃんのおごりじゃけんね」と僕を振り向いて、丸々と太った胸を張る。

「お吸い物でもつくるけん、タクはお父さんとビールでも飲んどき」「はい、缶ビール。コップはべつにええやろ？」「お父さん、サバ缶開けるで。マヨネーズとパパッと和《あ》えたらアテになるやろ」「はい、小皿とお箸《はし》」「タク、東京の土産《みやげ》物なに買《こ》うてきたん」「なんもないん？　あんたも、ほんま、なんぼになってもこどもの使いなんじゃけん」……。

　台所と居間をばたばたと往復して口も手も休む間がない姉をよそに、居間の座卓に向き合った父と僕は黙りこくったまま、僕は庭をぼんやり眺めてビールを啜《すす》り、父は煙草《たばこ》を吸いながらテレビを見つめる。

　母の件以外にも話すことはいくらでもあるのに、きっかけがつかめない。タイミングだけでなく、歌でいうなら、歌い出しの音の高さを決められない。

　父が煙草を灰皿でもみ消した。僕は小さなげっぷをして、ビールの缶を座卓に置く。

目が合った。「テレビ、NHKでええか」と父が言い、「なんでもいい」と僕は答え、僕が「ビール、開けようか」と訊《き》くと、父は「あとで飲むけん」と短く笑って、それきり話は途切れてしまう。

一人で帰省するのは、結婚以来初めてだ。いつもは百合がいる。志穂や彩花もいる。こうして実家の居間に座っているときも、僕は百合の夫で、志穂と彩花の父親だった。おしゃべりの主役を娘たちに任せてしまえば、あとは酒を飲んで、「おじいちゃん」に体の具合や親戚《しんせき》知人の消息を尋ねれば、一泊や二泊をやり過ごすことはかんたんだった。だが、いまは違う。ここにいる僕は父の息子で、父は僕の父親で、それ以外の役になることはできない。

三十七歳の息子は七十一歳の父親にどう接すればいいのだろう。似たような歳《とし》の父《おや》子《こ》が父親の介護を苦に無理心中した記事を、何日か前に新聞で読んだ。

寿司が届くと、姉は座卓の台所に近い側――かつて母が座っていた場所に座った。血のつながった家族三人が揃《そろ》って、家族以外には誰もいないというのも、考えてみれば姉が結婚して以来一度もなかったかもしれない。

ここに母がいれば。

ふと思い、ビールを少し勢いをつけて飲んだ。缶の縁が唇の裏側に触れると、アルミの金物臭さが口いっぱいに広がって、耳の後ろに鳥肌が立ったような気がした。

姉は一人でしゃべりつづけた。仕事のこと、ご近所のこと、親戚のこと、翔馬の学校のこと、高血圧のこと……とりとめない話題の中に、浜野さんのことは出てこない。母のことも、まだ。

父はたまに短い合いの手を入れるだけだったが、話し相手のいる食事はひさしぶりのせいか、ちびちび飲みはじめたビールの酔いのせいなのか、しだいに頬がゆるんできた。

志穂や彩花のおしゃべりに付き合うときの「おじいちゃん」の笑顔とは、微妙に違う。僕や姉がこどもだった頃の「お父さん」の、めったに見たことのない笑顔とも違う。たんに喜んだり嬉しがったりしているだけではなく、といって僕や姉を包み込むようなものでもない。弱々しいといえば弱々しいし、なにか媚《こ》びているような気もしないではなかったが、それでも、へえ親父ってこんなふうに笑うんだと思うと、こっちの頬もついゆるむ。

「タク、あんたのほうはどうなん。東京でどげん暮らしよるんか、お父さんに教えてあげな」

話の種が尽きた姉が言う。「お父さん、いっつもあんたのウチのこと心配しとるんよ」と付け加えて、さらにもう一言、冗談とばかりは思えない顔と声で──「この家族で家庭円満なんは、タクだけなんじゃけえね」

「みんな元気にやってるよ」

僕は言った。姉は拍子抜けした顔になったが、ほかにどう言えばいいのかわからない。便りのないのが良い便り、というのは無精者《ぶしょうもの》の言い訳ではないのだと気づく。近況をあらたまって報告するには東京の我が家の毎日はあまりにもひらべったく、それが退屈だとも言えるし、それこそが幸福なのだとも言えるだろうし……僕も、二本目のビールに少し酔った。

「元気なんがいちばんじゃ」父がうなずいて笑う。「どこにおっても、元気じゃったら、それでええ」

「そうそう、ほんまよ」

姉は身を乗りだして、これだけはどうしても父に伝えるんだというふうな早口で「お母さんもおんなじ」と言った。「べつにいまさらいっしょに住まんでも、元気でおるんやったら、それでええが」

父は笑顔のままだった。

「お母さんが病気になったとか、そういう事情があるんやったら別やけど、一人でも元気でやっとるんやから、お父さんがよけいな心配せんでもええんよ」

父の表情は変わらない。姉の言葉を間違いだとは言わなかったが、うなずきもせず、口の横に飯粒を一つつけて、姉をただ見つめる。

姉は気圧《けお》されたように黙った。

沈黙の重さから最初に逃げたのは、僕だった。

「お父さんは元気なの？」──つまらないことしか言えない。

「おお、まあ、七十過ぎたら、あとはもうおまけじゃけん」

姉はすぐに「なに言うとるん」と叱るように言って、僕を振り向いた。

「夏場は瘦《や》せてしもうとったんよ。冷や麦しか食べんのじゃもん」

「今年の夏は暑かったけえ」

「暑いときじゃけん、栄養のつくもの食べんといけんのに」

「タクが心配するけえ、よけいなこと言わんでええんじゃ」

父の笑顔は、いつのまにか消えていた。

姉は口をついて出そうになる言葉をせき止めるように、寿司をたてつづけに頬張った。

父は箸を置いて畳の上に寝ころんだ。体を横向きにして、座布団《ざぶとん》を枕《まくら》に、目をつぶる。最近、酒をちょっとでも飲むとすぐ寝てしまうようになった、と口の中を寿司で一杯にした姉がもごもごと言った。

「すぐ起きるけん……」

あくびに紛れかけた声でつぶやいたのを最後に、父はほどなく寝入ってしまった。

口の横に飯粒をつけたままだった。

## 4

姉が仕事に出かけたあとも、父は小さないびきをかいて眠りつづけた。厚手のタオルケットが、肩から下をすっぽりと包み込む。体がずいぶん縮んだな、と思う。

口の横の飯粒を取ってやろうと父のそばにしゃがみこんではみたが、頬や顎《あご》や鼻の下にまばらに生えた無精髭《ひげ》が目に入ると、父の顔に触れるのがひどく不遜《ふそん》なことのように思えて、僕の指先は虚空《こくう》を搔《か》くように動くだけで、そこから先へは伸びていかなかった。

白い髭だった。かさついた頬の、寝顔になっても消えない皺《しわ》の谷間に、まるで黴《かび》のように生えている髭もあった。

飯粒は着古した開襟《かいきん》シャツの襟にもこびりついている。もう何日も前のものだろう、乾いて、淡い飴色《あめいろ》になっていた。シャツの袖《そで》には油なのか醬油《しょうゆ》やソースなのか、黒ずんだ染《し》みも散っている。寿司を口に運ぶときの指先がかすかに震えていることにも、さっき気づいて、気づかなかったふりをしたのだった。

僕は三本目の缶ビールと寿司のガリを入れた小皿を持って縁側に出た。空は晴れていたが、東京より雲が多い。入道雲が見える。空には、まだ夏が残っている。

懐《なつ》かしいな――そうでもないか、と小首をかしげて苦笑した。

この町は僕のふるさとで、僕はこの家で高校卒業までの十八年間を過ごし、それは何年たとうと変わることはなくても、いまの僕にとっていちばんせつなく甘酸《あまず》っぱい懐かしさは、東京で過ごした大学時代や独身サラリーマン時代の日々の中にある。たぶんあと十年もすれば、小学生の娘二人と過ごした日々を、僕は胸に小さな疼《うず》きを感じながら振り返ることになるのだろう。

ガリを指でつまんで口に放り込んだ。舌が縮み、痺《しび》れて、唾液《だえき》がじゅっと染み出してくる。

父も母も、僕が東京の大学に進むことや東京で就職することに、なにも口出しはしなかった。姉も「田舎のことはお姉ちゃんに任せときんさい」と言ってくれた。長男で末っ子。愛されていた、と思う。若い頃は認めたくなかったが、いまはもう素直になれる。僕は、僕を愛してくれたこの家族が大好きで、家族がみんな幸せでいてくれたらいいと願っていて、なのに、父も母も、姉も、いま幸せなのだろうか……。

「タク」

父のくぐもった声が背中に聞こえた。

「起きたの?」

「……酔うてしもうたの」

「三十分ぐらい寝てたよ。お姉ちゃんは仕事に行った。なんか、どうしても顔を出さないとまずい得意先があるって」

「和恵も忙しいんじゃ。歩合《ぶあい》の仕事じゃけえ、気ィ抜けるときがない」

「負けず嫌いだしね」

父はタオルケットをまとったまま体を起こし、「ほんまじゃの」と笑う。寿司を食べていたときと同じ、「おじいちゃん」でも「お父さん」でもない笑顔だった。

「のう、タク」

「なに？」

「お母さんのこと、そげん恨んどるか」

「まあ……恨むっていうか……」

「わしゃあ、恨んどらんよ」

座卓に置いた煙草とライターと灰皿を手元に引き寄せて、「ちいとも恨んどらん」と念を押すように繰り返す。

「でも」ビールを一口、酔いの力を借りた。「お母さんは勝手に出ていったんだよね、べつにお父さんがなにかしたわけでもないのに」

父は黙って煙草をくわえる。口の横の飯粒にやっと気づいて、小刻みに震える指でつまんで灰皿に捨てた。

僕はつづけて言う。

「お母さんは、お父さんとこれ以上暮らしたくないと思ったから、家を出たわけだよね。そういうことされて、お父さんは平気なわけ？」

「しょうがなかろ。お母さんにはお母さんの気持ちがあるんじゃけえ」

「でも……」

「四十《しじゅう》やそこらじゃったら、張り倒しとるわ。和恵やタクがまだこどもで、おまえらまでいっしょに連れて別れる言うとったら、包丁で刺しとったかもしれん。ほいじゃけどのう……」

父はそこで言葉を切り、煙草に火を点《つ》けて、最初の煙とともにつづけて言った。

「もう、親の務めがぜんぶすんでからのことじゃったけえ」

煙と、声と、ため息が、縁側の僕に届いた。シャボン玉をふわりと宙に浮かべたような軽いため息だった。

「子供を一人前にして、舅《しゅうと》と姑《しゅうとめ》も送ったんじゃけえ、ようやってくれた。あとはもう、自分のやりたいことをやらせちゃればええが、のう。家を出たいんじゃったら出ればええ、もう迷惑のかかる者はおらんのじゃけえ」

「お父さんは？　お父さんがいちばん迷惑したんじゃないの？」

父はくわえ煙草で僕を見た。さっき姉を見つめたときと同じまなざし、そしてまたあの微笑《ほほえ》みが浮かぶ。

「タクは三十なんぼになった」

「七。三十七」

「もうおとなじゃが」

笑みが深くなる。まだわからんのか、しょうがないのう、というふうに笑う。

いま気づいた。父の微笑みは「お父さん」でも「おじいちゃん」でもない、じゅうぶんにおとなになった我が子を見つめる「年老いた父親」のものだ。

僕はずっとこのひとの「息子」なんだと思い、母の「息子」でもあるんだと思うと、胸が締めつけられた。瞼《まぶた》の奥がじんわりと熱くなる。

父は言った。

「夫婦には、なにをしても、されても、迷惑いうもんはないんよ」

「わかるよ、わかるけどさ……」

きれいごとだと思う。けっきょくは一人暮らしが寂しいだけなんじゃないか、とも。

「お父さん、でもさ、お母さんは別の男と暮らしたんだ。それ、許せるの？」

父は答える代わりに、初めて照れくさそうに目をそらし、「わしもお母さんも、あと何年生きるんかのう……」と言った。

「そんなの関係ないじゃない」

「あるんじゃ。七十過ぎると、関係ないわけなかろうが」

少し声を強めた父は、目をそらしたまま、舌に貼《は》りついた魚の小骨かなにかを吐き捨てるように言った。

「わしゃあ、三十三年も連れ添うた女を、一人暮らしのまま死なせとうない。それだけじゃ」

煙草《たばこ》の先に溜《た》まっていた灰が、ぽとりと膝《ひざ》に落ちた、そのとき——電話が鳴った。

受話器を取った僕の耳に飛び込んできたのは、浜野さんの声だった。

「拓己くんか？」息を切らしていた。「あのな、ちょっと悪いんだけど、和恵さんの携帯電話の番号わかるかな」

「どうしたんですか？」

「いや、ちょっとさあ……翔馬がケガしちゃって、いま市民病院なんだ。軽いんだ、たいしたことないんだ、ただ、ちょっとさ、頭切っちゃって、三針ほど縫うことになって……」

5

念のために一晩入院して様子を見ましょう——と医師に言われたのは、翔馬ではなく、姉だった。

仕事先から市民病院に駆けつけた姉は、治療室から出てきた翔馬の、大きなガーゼの上にネットをかぶせた頭を見て、眩暈《めまい》をおこして倒れてしまった。最高血圧は一九〇を超えていたという。

翔馬のケガは、話を聞いてみればなんということはないものだった。

浜野さんとドライブに出かけた先の海浜公園で、危ないからやめろと浜野さんが言うのに、へーきへーき、と展望台の螺旋《らせん》階段の手すりに尻《しり》を載せて滑り降りようとして、途中でバランスを崩してしまい、鉄の階段に落ちた。たまたま縁のところに頭をぶつけたので出血したが、かえって血が出たほうがよかったらしく、レントゲン検査をしても脳や頭蓋骨《ずがいこつ》に異状はなかった。

病院のロビーで浜野さんから説明を聞いた父は、意外そうに翔馬の顔を覗《のぞ》き込んだ。階段の手すりから落ちたことよりも、そもそも手すりを滑り降りようとしたことのほうに驚いていた。

「翔ちゃんがそげな冒険するいうて、おじいちゃん、初めて知ったで」

翔馬は空港で会ったときと同じように、うつむいたきりほとんどなにも答えない。

代わって、浜野さんが言った。

「そうなんですよ、昔はおとなしくてね、臆病《おくびょう》なところもあったのに、最近はどんどんヤンチャになって……」

「お父ちゃんの前だけじゃ」

父は、少し強く言った。浜野さんを見て、それから翔馬の頭をネットの上からそっと撫《な》でて、「おじいちゃん」の笑顔を浮かべる。

「のう、翔ちゃん、お父ちゃんに教えてやらんといかんもんなあ。お母ちゃんにはボクがついとるけんだいじょうぶやで、心配いらんで、て」

翔馬は黙って、おじいちゃんに体を寄せた。ふと見たら、二人は手をぎゅっと握り合っていた。

浜野さんは父に向かってなにか言いかけたが、声にはならなかった。ただ小さく会《え》釈《しゃく》して、顔を上げたときに僕と目が合うと、眉《まゆ》を寄せて笑みを浮かべる。一瞬だけ、マスオさんの面影がよぎった。

「よっしゃ、お母ちゃんのお見舞いに行こうか」

父は翔馬と手をつないで、病室に向かって歩きだす。

だが、浜野さんは動かない。

「悪かったな、拓己くんにも心配かけちゃって」

「いえ……」

「気づいてたよ、俺だって」父の背中に顎をしゃくる。「翔馬、俺と会うときはいつも無理してるんだ。元気だよ元気だよこんなに元気だよ、ってさ」

「そうですか……」

「俺だってあいつの親父《おやじ》だぜ、いちおう」

歩きだす——玄関のほうへ。

「病室、行かないんですか？」

「俺と和恵さんがいっしょにいたら、翔馬が困っちゃうだろ。難しいこと考えすぎて、傷がまた開いたらかわいそうだしな」

立ち止まって笑う顔は、もうマスオさんではなかった。

「和恵さんによろしく言っといてくれよ。翔馬にケガさせて悪かった、って」

引き留めるべきなのかどうか、僕にはわからない。浜野さんに姉の病室に入ってもらって、二人きりで話してもらって、そしてもしかしたら……と考えてしまう僕は、自分でもわかる、やはり家庭的すぎる男なのだろう。

浜野さんは腕時計で時間を確かめて、「最終の一本前に間に合うな」とひとりごちた。

「帰るんですか」

「ああ。翔馬と晩飯食うのもキャンセルになっちゃったし、さっさと横浜に帰って、バツイチの独身オヤジに戻るよ」

もう浜野さんと会うことはないのかもしれない。東京に帰れば、連絡をとって会おうという気は起きないだろう。

「それにしても、お義父《とう》さんに会うのは予定外だったなあ。いま、いくつだっけ」

「七十二歳ですね、今年の十一月で」

「じゃあ、飛行機の中でちらっと言ってた話じゃないけど、ほんとにお義父さんの老後のことも考えなきゃな」

考えていない——と言えば、嘘《うそ》になる。だが、いつも、どうすればいいかの結論が出る前に、考えることをやめる。

「東京で同居できるようなひとじゃないもんなあ、お義父さんは」

「ええ……」

「でも、拓己くんのところだってUターンは無理だろ」

「難しいと……思います」

「和恵さんに押しつけちゃうか？」

皮肉めいた口調で言われ、こっちも苦笑いでいなし、目をそらしてしまった。

「お義父さんが、もし自分の老後のことを考えてお義母《かあ》さんを呼び戻すんだったら、それはそれで助かるんじゃないのか？　きみにとっては」

言葉に詰まるのを見越したように、浜野さんはすぐに「俺は、お義父さんはそんな理由でヨリを戻そうとしてるんじゃないと思うけどな」とつづけ、「よくわからないけど」とつぶやいて、腕時計にまた目を落とした。

「最後にちょっとだけ屁理屈《へりくつ》言っていいかな。半分、俺のやったことの言い訳になるんだけど」

黙って、言葉を待った。

「家庭っていうのは、みんながそこから出ていきたい場所なんだよ。俺はそう思う。みんなが帰りたい場所なんじゃない。逆だよ。どこの家でも、家族のみんな、大なり小なりそこから出ていきたがってるんだ。幸せとか、そういうの関係なくな」

僕はうなずかない。

「拓己くんは、みんなが帰りたがってる場所を家庭だと思ってるんだよな。だから不倫する奴《やつ》や、離婚しちゃう奴の気持ちがわからないんだ。そうだろ？」

うなずかなかったが、認めた。

「じゃあ、なんできみは自分の育った家を出ていったんだ？　きみが東京でつくったたいせつな家庭って、ここにあった家庭から出ていったからつくれたんじゃないのか？」

浜野さんは踵《きびす》を返し、また玄関に向かって何歩か進んで、振り向いた。

「きみとお義母さんのやってることは同じなんだよ。出ていったひとには、同じように出ていったひとを責めたり恨んだりする権利はないんじゃないのか？」

そして、もう一言、言った。

「出ていったひとを黙って迎えてやろうとするひとに反対する権利もないだろ」


姉はベッドで降圧剤の点滴を受けながら、翔馬を片手で抱き寄せていた。

「さっきは、もう、頭がくらくらして、このまま死ぬんか思うたわ」

赤く充血した目を瞬《またた》いて、「ほいでも、翔馬が軽いケガですんだんがいちばんやった」と言う。「翔馬に万が一のことがあったら、うち、生きていけんもんなあ……」

ベッドの横の椅子《いす》に座っていた父が、僕を見る。訊《き》きたいことはわかるから、僕は黙って首を横に振る。父も最初からそう思っていたはずだ、納得顔で、小刻みにうなずいた。

翔馬も、なにも言わない。訊かない。目で探すこともしない。いまはもう百パーセント、姉の息子として、抱き寄せる姉の腕に身を任せている。

東京よりも西にあるぶん遅い夕焼けが、窓の外に広がる。海が、ビルの切れ間から少しだけ見えた。

百合の声が聞きたい。志穂と彩花の、ふだんはうるさくてしょうがないおしゃべりの声に、耳をひたしていたい。結婚して十年間、ただの一度も離婚を考えたことはない。夫婦喧嘩《げんか》は何度もあったし、そんなときは、どうしてこんな女と結婚したんだろうと思う。それでも、この家庭から出ていく気はない。家族の誰かを追い出したくもない。百合が赤の他人になり、志穂や彩花と離れて暮らすことなど、どんなにしても想像できない。

僕のつくった僕の家族は、東京の、ニュータウンの、手狭なマンションの一室に、ある。たしかに、ある。そうかんたんには壊れないと信じて、壊してたまるかと誓って、けれどほんとうは、家族というものはこんなにもあっけなく壊れてしまうんだとも、僕は知っている。

「タク、明日何時の便で帰るん？」と姉が訊いた。

「昼前の便にする」

「そげん急いで帰らんでもええが」姉はつまらなそうに笑い、翔馬を抱き直した。

「まあ、正月にでもまた帰っておいで」

二つ重なった「帰る」が、すんなりと耳に染《し》みた。「お帰り」と迎えてくれるひとがいるのなら、どこからどこへ向かおうとも、それはすべて「帰る」になる。迎えてくれるひとは――いるよな、だいじょうぶだよな、と小さくうなずいた。甘いかな、とも笑った。

「近所にスーパーができたけん、帰りに寄って晩ごはんのおかずに好きなもん買うていこうな」

父が翔馬に言う。

「サラダも食べさせてな、この子ほんまに生野菜食べんのじゃけん」と姉が翔馬を軽くにらむ。

翔馬は「ボク、たこ焼きがええ」と言って、姉の腕に抱かれた体を、初めてくすぐったそうによじった。

壊れた家族のかけらが、いまここに集まっているんだと気づく。

父はひとりぼっちで年老いていくかけらを放っておけなかったんだろうな、とも思った。

父と翔馬が寝入ってから、一人でウイスキーの水割りを何杯も飲んだ。夜十時。庭でひっきりなしに鳴いていた虫の声も途絶えた。もう酔っぱらったんだぞ、と自分に言い聞かせて、居間の電話に向かった。

電話台に紐《ひも》で結わえた番号録には、罫《けい》を無視してたくさんの電話番号が走り書きしてある。古くなってインクが色あせたものもあるし、二重線で消されたものもある。いちばん目立つ場所に書いてあったのは、僕の家の電話番号だった。そのすぐ下の欄は姉の家の番号。そして、欄外の狭い余白に、真新しい文字で、母の名前と電話番号があった。

電話機のプッシュボタンを押し、呼び出し音を聞いている間、電話機の陰に虫眼鏡が置いてあることに気づいた。目をそらし、ため息をひとつ、ついた。

電話がつながった。

母の声が、耳に流れ込んだ。記憶の中にあるものより細く、かすれてはいたが、それはたしかに懐《なつ》かしい声だった。

「もしもし」と一言口にすると、受話器の向こうで母が息を呑《の》むのがわかった。

「……タク？」

おそるおそる、声を震わせて聞き返してくる。

「そう、僕だけど」

冷たい声は出せなかった。

母は電話口で涙ぐみながら何度も何度も謝った。父の申し出に感謝しながら、それでも、いまさら帰ることなどできない、と言った。

「どっちでもええよ。お母さんが自分で決めればええと思う」

しゃべるまで気づかなかった。いま、初めてふるさとの言葉をつかった。気づくのと同時に、いままでどこに隠れていたのか、母が我が家にいた頃の思い出がいっぺんに胸に満ちてきた。

「お母さんは、いまでもお父さんとは暮らしていけん思うとる？」

わからない、と母は言う。

お父さんのことを嫌いだったり憎んでいたりするわけではない、それは十年前も同じで、でも十年前は家を出て別の暮らしをしたくてたまらなかった、いま振り返ってみても、なぜそうなったのか自分でもよくわからない、わからないけれど、自分が決めたことで、後悔をしているのかどうかもわからず、ただとにかく家を出たかった、その思いだけがあって、お父さんと和恵とタクにはひどいことをしたとずっと思っていて、謝りたくて……。

母の言葉は切れ切れで、ときに嗚咽《おえつ》にかき消され、話もまっすぐには進まない。

僕はそんな母の話に相槌《あいづち》を打ちながら、目をつぶり、三叉路《さんさろ》にたたずむ自分の姿を思い浮かべた。行き先を決めあぐねて左右の道をしばらく見比べてから、歩きだす。

「帰ってくればええが」

ためらう母に、僕はつづけた。

「二人でおってくれたほうが、こっちも助かるんよ。僕は東京やし、お姉ちゃんも仕事が忙しいし、高血圧で大変なんじゃけん。お父さんとお母さんになにかあったとき、二人でおれば、僕らの世話にならんでも、できるだけのことはできるじゃろ」

身勝手な理屈は、口に出してみると、意外と悪くない筋道じゃないかという気がしてくる。

母はまだ「うん」とは言わない。僕もこの場で返事を求めているわけではない。

十年間の留守は、たしかに長い。けれど、三十三年間の日々の重みのほうが最後には勝るのだと、せめて両親に育ててもらった息子ぐらいは信じていたい。

「ウチの子も、おばあちゃんに会うんを楽しみにしとるけん」

一つだけ嘘をついて、電話を切った。

三叉路から歩きだした道の先に、姉がいる。僕を振り向いて「お姉ちゃんに相談なしで、なに勝手なこと言いよるん」とにらんでいるか、「あんたもおとなになったんじゃけえ、それくらいの弁は立つわなあ」と満足げにうなずいているのか、明日の朝、空港に行く前に市民病院に寄って確かめてみよう。


電話のあと、さらにウイスキーの水割りを二杯飲み、今度はもう自分に言い聞かせる必要のない正真正銘の酔っぱらいになって、歯を磨きに洗面所に向かった。

洗濯機の横のカゴに、今日父が着ていた開襟《かいきん》シャツが放り込んであった。

ふと思いついてシャツをカゴから出し、襟についていた古い飯粒を爪《つめ》でこそげ取った。ついでに染みも抜こうと思い、洗面台のシンクで洗っていたら、水音で目が覚めたのか、父が「どげんした？」とまぶしそうな顔を戸口から覗《のぞ》かせた。

「服、汚れとったよ。こんなんで外を歩きよったら、ひとに笑われるで」

「ひとはそげん見りゃせんよ」

「見る見る、お父さん、ええ男じゃけえ」

自分でも少し意外な軽口が出た。父はもっと意外そうに、照れくさそうに、いや、からかわれたと思ってむっとしたのかもしれない、「なに言いよんな」とそっけなく返した。

「お父さん、顔に愛想のないひとは、よけいにこにこしとらんと嫌われるんで」

「おかしゅうもないのに笑えるか」

「お母さん、もうじき帰ってくる思うよ」

「はあ？」

「お母さんのロールキャベツ、懐かしいやろ、お父さんも」

旨《うま》いのだ、あれはほんとうに。キャベツが破れるぐらい挽肉《ひきにく》を詰めるのが、コツ。きょとんとしていた父は、不意に「そうじゃ、ちょっと待っとれ」と言って、居間に入っていった。

僕はシャツを両手で絞って水を切り、またカゴに入れた。思ったほどには染みは落ちなかったが、あとはまあ、任せるひとがいるのだから。

父を追って居間に入ると、お年玉のポチ袋を二つ差し出された。

「ほかに入れるもんがないけえ、もしアレじゃったら、タクが袋だけでも買うて入れ替えたってくれや」

袋には、それぞれ〈しほちゃん〉〈あやかちゃん〉とボールペンで書いてある。

中身は、千円札が一枚ずつ。

「見んでええけえ、はようしまえ」

「ありがとう」

「ええけえ、そげなんは」

「でも……ありがとう、ほんと」

父は怒った顔で「もうええ言うとろうが」と手の甲を払い、居間を出ていった。お金の話をいやがる世代の、特にそういうものの嫌いな性格のひとだ。

僕は父のいなくなった居間に座り込み、トランプの手札のように二つのポチ袋を手に掲げた。志穂の袋は女の子の羽根突きの絵で、彩花は獅子舞《ししまい》。「おねえちゃんのほうがかわいーいっ」と頰をふくらませる彩花が、ほら、そこに、いる。「やーい、やーい」と自慢しながらリビングを逃げ回る志穂も、それを笑いながら眺める百合も。

いつか懐かしくてたまらなくなるはずのそんな光景を胸に抱き込むように、ゆっくりと横向きに寝ころがった。古くなった畳のにおいを嗅《か》いで、目をつぶる。

庭から、宵っ張りのスズムシの鳴く声がひとすじだけ、聞こえた。

# 後　記

現在、ビタミンは十五種類ほど知られている。A、B、Cといったおなじみのものから、ふだんの生活ではほとんど意識することのないパントテン酸やニコチン酸まで各種そろったなか、ビタミンFは、ない（専門的には脂肪に含まれる必須《ひっす》脂肪酸をビタミンFと呼ぶこともあるらしいが、それはまあ、そっちに置いといて）。

ないから、つくった。炭水化物やタンパク質やカルシウムのような小説が片一方にあるのなら、ひとの心にビタミンのようにはたらく小説があったっていい。そんな思いを込めて、七つの短いストーリーを紡《つむ》いでいった。

Ｆａｍｉｌｙ、Ｆａｔｈｅｒ、Ｆｒｉｅｎｄ、Ｆｉｇｈｔ、Ｆｒａｇｉｌｅ、Ｆｏｒｔｕｎｅ……〈Ｆ〉で始まるさまざまな言葉を、個々の作品のキーワードとして物語に埋め込んでいったつもりだ。そのうえで、いま全七編を読み返してみて、けっきょくはＦｉｃｔｉｏｎ、乱暴に意訳するなら「お話」の、その力をぼくは信じていたのだろうと思う。これからも読み物の書き手として畏《おそ》れながらも信じつづけていくのは、「お話」の力しかないんだろうな、とも。

雑誌初出時には「小説新潮」編集部の江木裕計さんに、単行本にまとめていただくにあたっては新潮社出版部の中島輝尚さんにお世話になった。文庫版の編集の労をとっていただいたのは文庫編集部の土屋眞哉さんである。記して、感謝する。

重松　清

# ここにもパンドラの箱はある

堀江敏幸

「中途半端《はんぱ》だよな、三十七、八って」と「ゲンコツ」の吉岡は言う。庭付きの一戸建てでも一棟のみの瀟洒《しょうしゃ》なマンションでもない、ニュータウンと呼ばれる巨大で均質な空間にも、それは通じる感覚だ。バブル経済で世の中の歯車が完全に狂っているとき、そうと気づかずに働き盛りをむかえ、結婚し、マンションを買い、子どもも小学校にあがるようになった三十七、八歳の男たち。成長してきた息子や娘と、老いていく親の双方にはさまれ、妻との関係も若い頃のようにはかみあわなくなっている彼らは、とつぜん、自分の居場所はほんとうにここでいいのか、と自問するようになる。

だが、テレビの画面からふと目を離し、家族を眺《なが》め渡した瞬間、不意に思った。

俺の人生は、これか——。

なーんだ、と拍子抜けするような。

ちぇっ、と舌を打ちたくなるような。

といって、いまさらやり直しはきかない。

そんな人生を自分は生きているのだ、と、達也はそのとき初めて気づいたのだった。(「なぎさホテルにて」)

皮肉だ。みずから望んで得た家庭のなかで「いまさらやり直しはきかない」とつぶやくためには、ほかならぬその家庭が必要なのだから。男たちは、自力でやり直しのきっかけすら見つけることができない。子どもたちとのやりとりを、かつて人の息子であった自身と父親とのそれに重ね合わせる否《いや》も応もない反復によって、彼らははじめて、自分と同年代だったころ親がどんな気持ちで子どもと接していたのかを、切実に、いくばくかの悔悟の念とともに理解する。当時はまったく気づかずにいたこまかい感情の襞《ひだ》、誤解の糸くずが、一枚ずつ、一本ずつほぐれてくる。『ビタミンF』に収められた七つの短篇は、どれもそういう中途半端な年代ゆえの痛みを扱いながら、特定の世代を超える効能を持った秀作である。

効力が十全に発揮されるには、正しい服用の仕方が求められる。重松清の処方箋《しょほうせん》は、完璧《かんぺき》だ。指示は薬剤師のみならず患者にも判読できるよう大きく丁寧に書かれており、ドイツ語の医学用語とは別種の、読み誤る危険のない清潔な日本語が選択されている。途中でつっかかるような、悪《あ》しき意味での文学的な言いまわしはどこにもない。しかし注意しておこう。誰にでも手のとどきそうな言葉を集め、それを高い表現レベルで、いかにもなんでもなさそうに破綻《はたん》なく使いこなすことがどれほどむずかしく、どれほどの修練を要するか、そして、量産を強いられる道を進みながら質を落とさない取材力とあたらしさへの目配りの持続がどれほど大変なことか、ものを書く人間なら誰でも知っている。切れのいい、明快な表現。目尻《めじり》の皺《しわ》、口もとの緩み、頬の張りまで鮮やかに浮かんでくる人物造形と、物語を押し進めていくうえでの、絶妙の場面転換。ひとりよがりの語りほど、重松清の世界から遠いものはない。彼の言葉は、臭いたとえを用いるなら——いや、『熱球』というそれこそ熱い小説の作者になら許されるだろう——、つねに打者＝他者を意識して放たれた最高水準の直球なのだ。もちろん、はっきりそれとわかるボール球も、要求があれば投げる。おそろしく制球のいい言葉の手首と、一軍のマウンドに立っているのにバッティング投手の矜持《きょうじ》と謙虚さを失わない先発投手の凄《すご》みが、彼にはある。

誰にでもまっすぐに伝わることを願って放たれた言葉。もしかするとそこには、『きよしこ』で描かれているような吃音《きつおん》の記憶が影響しているかもしれない。自分の気持ちを、とにかく表面的にはつっかえることなく相手に伝えたい。つっかえることと気持ちが通じないこととはまるでべつの次元の話だと承知しているのに、つまりどれほど滑らかに言葉を発しても真意の伝わらない状況など山ほどあるのに、それを勘ちがいだとは思わない周囲の鈍感さに身動きがとれなくなって、つい表向きの滑らかさを夢見てしまう主人公たち。口ではなく心の吃音が、逆に明快な言葉にたいする意識をどんどん先鋭にしていくのだろう。

だが、苦しみを知っている者だけに理解できる、といった手垢《てあか》のついた表現は、この際、捨てておかなければならない。そういう物言いの嘘《うそ》をきれいに暴《あば》くのが、ビタミンFの効能だからである。重松清の魅力は、バッティング投手という弱い立場を本当に思いやることと、そこに同情や悲哀なんて言葉を当てはめることの根本的なちがいを、肝に銘じているところにある。つくり出した主人公を、それどころかすべての登場人物をひとりとして放棄せず、今後も放棄しないとの決意を読者に届けるために、そして読者がそのメッセージを確実に受け取ることができるために、言葉の投げ手として、彼はあえて打ちやすい球を放る。一軍のマウンドに立っている以上、甘えは許されないから、高さもコースも速さも申し分のない、それでいて、じつに打ちやすい球を放るのだ。ヒットを打たせるためではない。良い当たりをさせて、しかも野手の正面に導くのである。そして、逆説的だが、その球が本当に生きたものであるならば、思惑を超えた奇跡的なヒットが生まれうる、と彼はひそかに期待しているのだ。それはひとつの倫理だと言ってもいい。

その倫理を守るひとつの方策として、共有する時間が異なれば意味がなくなる危険を覚悟のうえで、「仮面ライダー」や「ウルトラマン」といった、昭和三、四十年代の刻印のある虚《うつ》ろな「正義」の教えに言及し、アイドル歌手の固有名詞をどんどん投げ込んで物語の要請する過去に読者を引き入れ、主人公を襲う不安に寄り添わせる。「取り返しのつかなさ」の根を探るためには、過去と現在を行き来する装置が不可欠で、だから規模の大小を問わず、重松作品にはそういう役回りを振られたなにかがしばしば登場する。近作で言えば、死を考えるほど追いつめられた主人公に来るべき未来の姿を見せてまわる冥界《めいかい》の父子のオデッセイ（『流星ワゴン』）がそうだったし、小学校のときにクラスのみなでいちばん大切なものを埋めたタイムカプセルがそうだった（『トワイライト』）。『ビタミンF』でも、「なぎさホテル」を支える仕掛けとして「配達付きのタイムカプセル」とも呼ぶべき未来書簡が使われている。

しかし、それらの装置はかならずしもモノにかぎらない。中途半端な位置にいる主人公たちに自省をうながす家族との暮らしこそが、じつはえがたいタイムカプセルなのだ。ニュータウンの団地前で落書きをしたり、自販機から小銭を盗んだりする悪友を拒めなくなっている、おなじマンションの少年（「ゲンコツ」）、波風の立たない、いたって平凡な暮らしのなかで宝くじを一枚ずつ買っていた亡父と、仲間の誘いを断り切れずにいる息子（「はずれくじ」）、本物の恋だと信じていた男に身体《からだ》を奪われた娘と屈託のない息子（「パンドラ」）、いじめられている自分を架空の転校生に仕立てて、作り話のなかに逃げようとしていた娘（「セッちゃん」）、聾《ろう》学校でのボランティア活動を期に、優等生ぶっていた自分を責めはじめた娘と、浪人中の息子の反抗（「かさぶたまぶた」）、三十年以上連れ添ったあと家を出た妻を、ふたたび呼び戻そうとする父親（「母帰る」）……

いつのまにか侵蝕されていた家族の基盤に走っている亀裂《きれつ》を、重松清はささやかな他力＝事件によって主人公に気づかせ、一時的にその進行をくい止めようとする。だがくい止めるだけで、幸せな家庭の再生をめざしたりはしない。ひとつの出来事を経て、主人公と家族のあいだの距離が縮み、過去の自分といまの自分とのへだたりが小さくなってまわりの空気の質が変わったとしても、それは円満な家庭を再構築し、生き直すきっかけを与えるものというより、再生の可能性を開示するだけの、脆《もろ》くてはかないガラスの破片にすぎないのである。

いじめは完全に終わらず、冷えた夫婦の関係も元どおりにはならない。心の傷はそうたやすく癒《い》えてくれないし、永久に癒えないかもしれない。親子の、夫婦の、家族のゆがみがただされるだけでは足りないのだ。その先に、複数の家族が、それぞれの闘いをつづけながら形成する、もっとやっかいな社会なるものが控えており、その大きな受け皿に走っている亀裂が跡形もなく消えるなんてありえない話なのだから。七つのビタミンをならべたこの小説集に描かれているのは、「取り返しのつかなさ」を打開し、修復の完了したあたらしい家族像ではなく、「取り返しのつかなさ」はそのまま変化しないという残酷な事実を認めたうえでなおたたかっていこうとする決意であり、本当にそれを乗り越えられるのだろうかという大きな不安の姿なのである。

なんだよそれ、と自分で自分を笑った。ほんとうに言いたかったことをまたごまかしてしまったような気がしたが、言いたいことなんてけっきょくそれしかないんだよ、とも思う。正しい答えはわからない。ただ、喉《のど》の奥の、ここにもまたパンドラの箱はあるんだと知った。蓋《ふた》は、きっと堅く、重い。（「パンドラ」）

開けてはいけない箱がある。開けてしまったとしても、知らないふりをしておくべき禁忌の箱がある。しかし開けないでおくことが、知らないふりをしておくことが、ほんとうに「正しい答え」なのだろうか？　ビタミンFはその問いをいったん無効にし、失われた過去を取り戻すのではなく、「取り返しのつかなさ」を抱えたまま、家庭という戦場のなかで生きつづける勇気を与えてくれる。やさしくも厳しい糖衣に包まれたこの錠剤は、もはや私たちの常備薬になったと言っても、過言ではないだろう。

（平成十五年五月、作家）

この作品は平成十二年八月新潮社より刊行された。

重松清著
舞姫通信
教えてほしいんです。私たちは、生きてなくちゃいけないんですか？　僕はその問いに答えられなかった——。教師と生徒と死の物語。

重松清著
見張り塔からずっと
3組の夫婦、3つの苦悩の果てに光は射すのか？　現代という街で、道に迷った私たち。新・山本周五郎賞受賞作家の家族小説集。

重松清著
ナイフ
坪田譲治文学賞受賞
ある日突然、クラスメイト全員が敵になる。私たちは、そんな世界に生を受けた——。五つの家族は、いじめとのたたかいを開始する。

重松清著
日曜日の夕刊
日常のささやかな出来事を通して蘇る、忘れかけていた大切な感情。家族、恋人、友人——、ある町の12の風景を描いた、珠玉の短編集。

中沢けい著
楽隊のうさぎ
吹奏楽部に入った気弱な少年は、生き生きと変化する——。忘れてませんか、伸び盛りの輝きを。親たちへ、中学生たちへのエール！

三浦しをん著
風が強く吹いている
目指せ、箱根駅伝。風を感じながら、たすき繋いで、走り抜け！「速く」ではなく「強く」——純度100パーセントの疾走青春小説。

# 新潮文庫最新刊

安部公房著
## （霊媒の話より）題未定
―安部公房初期短編集―
19歳の処女作「（霊媒の話より）題未定」、全集未収録の「天使」など、世界の知性、安部公房の幕開けを鮮烈に伝える初期短編11編。

松本清張著
## 空白の意匠
―初期ミステリ傑作集(二)―
ある日の朝刊が、私の将来を打ち砕いた――。組織のなかで苦悩する管理職を描いた表題作をはじめ、清張ミステリ初期の傑作八編。

宮城谷昌光著
## 公孫龍 巻一 青龍篇
群雄割拠の中国戦国時代。王子の身分を捨て、「公孫龍」と名を変えた十八歳の青年の行く手に待つものは。波乱万丈の歴史小説開幕。

織田作之助著
## 放浪・雪の夜
―織田作之助傑作集―
織田作之助――大阪が生んだ不世出の物語作家。芥川賞候補作「俗臭」、幕末の寺田屋を描く名品「蛍」など、11編を厳選し収録する。

松下隆一著
## 羅城門に啼く
京都文学賞受賞
荒廃した平安の都で生きる若者が得た初めての愛。だがそれは慟哭の始まりだった。地べたに生きる人々の絶望と再生を描く傑作。

河端ジュン一著
## 可能性の怪物
―文豪とアルケミスト短編集―
織田作之助、久米正雄、宮沢賢治、夢野久作、そして北原白秋。文豪たちそれぞれの戦いを描く「文豪とアルケミスト」公式短編集。

# ビタミンF

新潮文庫　し－43－5

平成十五年七月一日発行
令和六年五月二十五日五十六刷

著者　重《しげ》松《まつ》清《きよし》

発行者　佐藤隆信

発行所　株式会社新潮社
郵便番号　一六二―八七一一
東京都新宿区矢来町七一
電話 編集部(〇三)三二六六―五四四〇
読者係(〇三)三二六六―五一一一
https://www.shinchosha.co.jp

価格はカバーに表示してあります。

乱丁・落丁本は、ご面倒ですが小社読者係宛ご送付ください。送料小社負担にてお取替えいたします。

印刷・大日本印刷株式会社　製本・株式会社大進堂

ISBN978-4-10-134915-2　C0193